Roald Dahl

Het wonderlijk verhaal van Hendrik Meier

en zes andere verhalen

vertaald door Harriët Freezer

Fontein

Dit boek wordt, met genegenheid en sympathie, opgedragen aan alle jonge mensen (dus ook mijn eigen zoon en drie dochters) die in die lange moeilijke tussenfase verkeren die je ondergaat wanneer je geen kind meer, maar ook nog niet volwassen bent.

Zevende druk 1989, paperback
ISBN 90 261 0351 4
Oorspronkelijke titel: The wonderful story of Henry Sugar
Verschenen bij Jonathan Cape Ltd., Londen

Postbus 1, 3740 AA Baarn
Vertaling: Harriët Freezer
Omslag: Studio Combo
Verspreiding voor België: Uitgeverij Westland nv, Schoten

Inhoud

De jongen die met dieren praatte

Niet zo lang geleden besloot ik een paar dagen op de Westindische eilanden door te brengen. Ik zou daar een korte vakantie houden. Vrienden hadden me verteld hoe fantastisch het er is. Ik zou de hele dag luieren, zeiden ze, zonnebaden op de zilveren stranden en zwemmen in de warme, groene zee.
Ik koos Jamaica uit en vloog rechtstreeks naar Kingston. De rit van het vliegveld van Kingston naar mijn hotel aan de noordkust duurde twee uur. Het eiland was vol bergen en de bergen waren overdekt met donkere dichte wouden. De grote taxichauffeur uit Jamaica vertelde mij dat in die wouden hele groepen duivelse mensen woonden, die zich nog steeds bezig hielden met 'voodoo', hekserij en andere magische riten. 'Ga nooit die bergwouden in,' zei hij en rolde met zijn ogen. 'Er gebeuren daar dingen die je haar in een minuut grijs kunnen maken!'
'Wat voor dingen?' vroeg ik.
'Dat kun je beter niet vragen,' zei hij. 'Het is al gevaarlijk er over te praten.' En dat was alles wat hij over dat onderwerp wilde zeggen.
Mijn hotel stond aan de rand van een parelkleurig strand en de omgeving was zelfs nog mooier dan ik me had voorgesteld. Maar op het moment dat ik die grote open voordeuren binnenwandelde, voelde ik me al onbehagelijk. Daar was geen enkele reden voor.
Ik zag niets verkeerds. Maar dat gevoel was er en ik kon het niet van me afzetten. De atmosfeer had iets griezeligs, iets sinisters. Ondanks alle pracht en luxe hing er een vleugje gevaar in de lucht dat ronddreef als een wolk gifgas.
En ik was er nog niet zo zeker van dat het alleen het hotel was. Het hele eiland, de bergen en de wouden, de zwarte rotsen langs de kust, de bomen vol schitterende bloesems, dat alles en nog heel wat andere dingen maakten dat ik me onbehagelijk voelde.
Er ging iets kwaadaardigs schuil onder de oppervlakte van dit eiland. Dat voelde ik in mijn botten.
Mijn hotelkamer had een klein terrasje, vanwaar ik direct het strand

op kon lopen. Hoge kokospalmen groeiden overal in het rond en van tijd tot tijd viel een enorme groene noot, wel zo groot als een voetbal, met een doffe dreun in het zand. Het was heel dom om onder een kokospalm te blijven staan, want als zo'n ding op je hoofd viel zou je schedel opensplijten.

Het Jamaicaanse meisje dat mijn kamer kwam doen, vertelde me dat nog geen twee maanden tevoren een rijke Amerikaan, die meneer Wasserman heette, op die manier aan zijn eind was gekomen.

'Je maakt een grapje,' zei ik tegen haar.

'Ik maak geen grapje!' riep ze. 'Nee, nee, meneer. Ik heb 't met m'n eigen ogen gezien!'

'Maar werd er dan geen verschrikkelijke drukte over gemaakt?' vroeg ik.

'Ze houden 't stil,' zei ze duister. 'De mensen van het hotel houden 't stil en de krantenmensen ook, want zulke dingen zijn slecht voor het toeristenbedrijf.'

'En je zag het echt zelf gebeuren?'

'Ik zag het echt zelf gebeuren,' zei ze. 'Meneer Wasserman staat precies onder die boom daar op het strand. Hij heeft zijn fototoestel bij zich en richt het op de zonsondergang. Het is een rode zonsondergang die avond, en erg mooi. En dan ineens valt er een grote groene noot precies loodrecht op zijn kale knikker. Bang! En dat,' voegde ze er met een zweempje voldoening aan toe, 'dat is dan de allerlaatste zonsondergang die meneer Wasserman ooit heeft gezien.'

'Bedoel je dat hij meteen dood was?'

'Dat *meteen* weet ik nog niet zo net,' zei ze. 'Ik herinner me dat hij zijn fototoestel uit zijn handen op het zand laat vallen. Daarna vallen zijn armen omlaag en hangen ze naast zijn lichaam. Dan begint hij heen en weer te zwaaien. Hij zwaait een paar keer naar voren en naar achteren, heel langzaam, en ik sta naar 'm te kijken en ik zeg zo tegen mezelf: die arme man is helemaal duizelig en misschien gaat ie zo wel flauwvallen. Dan, heel langzaam, valt hij voorover en slaat tegen de grond.'

'Was hij dood?'

'Morsdood,' zei ze.

'Lieve hemel.'
'Precies,' zei ze. 'Het is nooit zo'n goed idee om onder een kokospalm te staan wanneer de wind waait.'
'Bedankt,' zei ik. 'Ik zal 't onthouden.'

Op de avond van mijn tweede dag zat ik op mijn terrasje met een boek op mijn schoot en een groot glas rumtonic in mijn hand. Ik las niet. Ik keek naar een kleine groene salamander die een andere kleine groene salamander besloop op de vloer van mijn terrasje, nog geen twee meter van me af.

De sluipende salamander benaderde de ander van achteren, heel langzaam en voorzichtig, en toen hij vlakbij was schoot zijn lange tong naar buiten en raakte de staart van de andere. De ander draaide zich met een sprong om en daar stonden ze tegenover elkaar, roerloos tegen de grond gedrukt, tot het uiterste gespannen te staren. Toen plotseling begonnen ze een grappig huppeldansje met elkaar te doen. Ze hupten omhoog. Ze hupten naar voren. Ze hupten opzij. Ze draaiden om elkaar heen als boksers, huppend en wippend en dansend, steeds maar door. Het was een eigenaardig gezicht en ik had het idee dat het een soort paar-ritueel was, dat ze aan't opvoeren waren. Ik bleef doodstil zitten wachten wat er zou gebeuren.

Maar ik heb nooit gezien wat er gebeurd is, want op dat moment merkte ik dat er iets gaande was op het strand. Ik keek op en zag een groep mensen om iets heen staan dat op de waterlijn lag. Een smal kanoachtig vissersbootje was vlakbij op het zand getrokken. Het enige wat ik kon bedenken was dat een visser een hoop vis had binnengehaald en dat al die mensen daarnaar keken.

Ik heb het altijd fascinerend gevonden te zien wat vissers binnenbrengen. Ik legde mijn boek weg en stond op. Steeds meer mensen kwamen van hun terrasje en haastten zich over het strand naar de groep bij de waterlijn. De mannen droegen van die afgrijselijke Bermuda-shorts, die tot aan de knie komen, en hun hemden waren roze en oranje en alle andere vloekende kleuren die je maar kunt bedenken. De vrouwen hadden meer smaak en hadden voornamelijk leuke katoenen jurkjes aan. Bijna iederen had een glas in de hand.

Ik nam mijn eigen glas en stapte van mijn terrasje op het strand. Ik maakte een kleine omweg rond de kokospalm, waaronder meneer Wasserman volgens het verhaal aan zijn eind was gekomen, en liep over het prachtige zilveren zand naar de groep.
Maar het was geen vis waar ze naar stonden te staren. Het was een schildpad, een omgekeerde schildpad die op zijn rug in het zand lag. Maar wat voor een schildpad!
Het was een reus, een mammoet.
Ik had nooit gedacht dat een schildpad zo groot zou kunnen zijn. Hoe moet ik zijn grootte beschrijven? Had hij op zijn poten gestaan dan denk ik wel dat een grote man op zijn rug had kunnen zitten zonder dat zijn voeten de grond raakten. Hij was ongeveer anderhalve meter lang en meer dan een meter breed, met een hoog koepelvormig schild van grote pracht.
De vissers die hem gevangen hadden, hadden hem op zijn rug gedraaid om hem niet de kans te geven er vandoor te gaan. Er zat ook een dik touw om het midden van zijn schild gebonden en een trotse visser stond slank, zwart en op een lendendoekje na naakt, een eindje verder en hield met twee handen het uiteinde van het touw vast.
Daar lag hij dan ondersteboven, dat magnifieke dier, met zijn vier hysterisch wapperende, dikke vinnen en de lange rimpelige nek ver uit zijn schild gestoken. Aan de vinnen zaten grote scherpe klauwen.
'Achteruit, dames en heren, alstublieft!' riep de visser. 'Verder achteruit! Die klauwen zijn *gevaarlijk,* man! Ze kunnen je arm zo van je lijf rukken!'
De groep hotelgasten was verrukt en opgewonden door dit schouwspel. Een tiental fototoestellen kwam te voorschijn en klikte aan een stuk door. Veel vrouwen gaven gilletjes van plezier en klampten de armen van hun mannen vast, en de mannen demonstreerden hun moed en hun mannelijkheid door met luide stemmen stomme opmerkingen te maken.
'Je kan je zelf een aardig hoornen brilletje maken uit dat schild, hè Ed?'

'Dat kreng moet meer dan een ton wegen!'
'Bedoel je dat ie echt blijft drijven?'
'Allicht drijft ie. 't Zijn nog sterke zwemmers ook. Trekt 'n boot met gemak.'
'Da's een bijter, hè?'
'Niks hoor. Bijtende schildpadden worden niet zo groot als deze. Maar ik zal je eens wat zeggen. Hij bijt zo je hand af, als je te dichtbij komt.'
'Is dat waar?' vroeg een van de vrouwen aan de visser. 'Bijt hij echt je hand af?'
'Nu wel,' zei de visser met een blinkend witte grijns. 'Hij zal je nooit wat doen wanneer hij in zee is, maar vang je 'm, trek je 'm op het droge en keer je 'm om, nou man, dan kan je maar beter allemachtig goed uitkijken! Dan bijt hij naar alles wat in z'n buurt komt!'
'Ik denk dat ik zelf ook een beetje bijterig zou worden,' zei de vrouw, 'als ik in zijn plaats was.'
Een idioot had een aangespoelde plank op het strand gevonden en droeg die nu naar de schildpad. Het was een behoorlijke plank, zo'n anderhalve meter lang en drie centimeter dik. Met het ene eind begon hij naar de kop van de schildpad te prikken.
'Dat zou ik niet doen,' zei de visser. 'Je maakt hem alleen maar kwaaier dan ie al is.'
Toen het einde van de plank de nek van de schildpad raakte, draaide zijn kop bliksemsnel om, de bek ging wijd open en *krak,* hij greep de plank met zijn bek en beet er een stuk uit alsof ie van kaas was.
'Oei!' schreeuwden ze. 'Zag je dat! Ben ik even blij dat 't m'n arm niet was.'
'Laat 'm met rust,' zei de visser. 'Je schiet er niks mee op 'm zo op te hitsen.'
Een dikbuikige man met brede heupen en heel korte beentjes ging naar de visser en zei: 'Hoor es, vrind. Ik wil dat schild. Ik koop 'm van je.' En tegen zijn mollige vrouw zei hij: 'Weet je wat, Millie, ik neem dat schild mee naar huis en laat 'm oppoetsen door een vakman. Dan zet ik 'm precies patsboem midden in de woonkamer!

Wat zeg je me daarvan?'
'Fantastisch!' zei de mollige vrouw. 'Koop jij dat ding maar gauw, schat!'
'Geen probleem,' zei hij. 'Hij is al van mij.' En tegen de visser zei hij: 'Hoeveel moet je voor dat schild hebben?'
'Hij is al verkocht,' zei de visser. 'Ik heb 'm met schild en al verkocht.'
'Kalm aan vrind,' zei de dikbuik. 'Ik ga er gewoon boven. Kom op. Wat wil hij er voor geven?'
'Heeft geen zin,' zei de visser. 'Hij is al verkocht.'
'Aan wie?' vroeg de dikke man.
'Aan de bedrijfsleider.'
'Welke bedrijfsleider?'
'De bedrijfsleider van 't hotel.'
'Heb je dat gehoord?' schreeuwde een andere man. 'Hij heeft 'm aan de bedrijfsleider van ons hotel verkocht! Weet je wat dat betekent? Dat betekent schildpadsoep, dat betekent het!'
'Klopt als een bus! En schildpadlapjes! Ooit schildpadlapjes gegeten, Bill?'
'Nog nooit, Dick, maar ik kan nauwelijks wachten!'
'Een schildpadlapje is nog lekkerder dan biefstuk als je het goed klaarmaakt. Het is nog malser en het heeft me daar toch een smaakje!'
'Hoor 's,' zei de dikbuikige man tegen de visser. 'Ik hoef het vlees niet te hebben. Dat kan de bedrijfsleider allemaal krijgen. Hij mag alles wat er in zit, met tanden en nagels en al. Ik wil alleen het schild.'
'En jou kennende, schatje,' zei zijn vrouw stralend, 'krijg je dat schild ook.'
Daar stond ik en luisterde naar het gesprek van deze wezens. Ze bespraken de vernietiging, het opeten en de smaak van een dier dat zelfs ondersteboven nog een buitengewone waardigheid leek te bezitten. Een ding was zeker. Hij was ouder dan wie van hen ook maar. Waarschijnlijk zwom hij al meer dan honderdvijftig jaar in de groene zeeën van West-Indië rond. Hij was er al toen George

Washington president van Amerika was en Napoleon te grazen werd genomen bij Waterloo. Hij zal dan misschien nog maar een kleintje geweest zijn, maar dat hij er was, dat is zeker.
En nu lag hij hier, ondersteboven op het strand, te wachten op zijn slachting voor de soep en de lapjes. Hij was kennelijk in paniek geraakt door al het lawaai en geschreeuw om hem heen. Zijn oude gerimpelde nek stak ver uit zijn schild en zijn grote kop draaide van de ene naar de andere kant, alsof hij iemand zocht die hem uit kon leggen waar hij deze schandelijke behandeling aan te danken had.
'Hoe wou je 'm in 't hotel krijgen?' vroeg de dikke man.
'We slepen hem door het zand naar boven met het touw,' antwoordde de visser. 'Het personeel zal 'm zo wel komen halen. Daar heb je wel tien man voor nodig, die allemaal tegelijk trekken.'
'Hee zeg es!' riep een gespierde jongeman. 'Waarom slepen *wij* 'm niet naar boven?' De gespierde jongeman droeg een paarsrood met grasgroen gekleurde Bermuda-short en geen hemd. Hij had een bijzonder behaarde borst; het ontbreken van een hemd was dan ook duidelijk geen toeval.
'Wat zouden jullie ervan zeggen es 'n handje uit te steken voor ons eten?' riep hij en bolde zijn spieren. 'Kom op, lui! Wie is er voor een beetje lichaamsbeweging?'
'Uitstekend idee!' schreeuwden ze. 'Prima plan!'
De mannen overhandigden hun glazen aan de vrouwen en renden naar het touw. Ze gingen achter elkaar staan alsof het om een spelletje touwtrekken ging en de man met de harige borst benoemde zichzelf tot voorman en aanvoerder van het team.
'Vooruit dan jongens!' schreeuwde hij. 'Wanneer ik zeg *trekken*, dan allemaal tegelijk trekken, begrepen?'
De visser vond het niet zo'n best idee. 'Jullie kunnen dat maar beter aan de mensen van het hotel overlaten,' zei hij.
'Onzin,' schreeuwde de behaarde man. 'Trekken jongens, *trekken*!'
Ze trokken allemaal tegelijk. De reuzenschildpad wankelde op zijn rug en rolde bijna om.
'Niet om laten rollen!' gilde de visser. 'Op zo'n manier laten jullie

'm nog omrollen. En als ie eenmaal op z'n poten staat, dan ontsnapt ie vast en zeker!'
'Kalm aan, ventje,' zei de behaarde man uit de hoogte. 'Hoe kan ie nou ontsnappen? We hebben hem toch aan een touw zitten, niet?'
'Die ouwe schildpad trekt jullie hele zootje met zich mee, als ie de kans krijgt!' riep de visser. 'Hij sleurt jullie zo de oceaan in, stuk voor stuk!'
'*Trekken!*' schreeuwde de behaarde borst, zonder zich nog iets van de visser aan te trekken. '*Trekken,* jongens. *Trekken!*'
En nu begon de reuzenschildpad heel langzaam door het zand te glijden in de richting van het hotel, naar de keukens, naar de plaats waar de grote messen bewaard werden. De vrouwen en de oudere, dikke, minder atletische mannen liepen mee onder het roepen van allerlei aanmoedigingen.
'*Trekken!*' schreeuwde de behaarde aanvoerder. 'Zet 'm op, mannen! Jullie kunnen best harder dan dit!'
Plotseling hoorde ik gillen. Iedereen hoorde het. Het gegil was zo hoog, zo schril en zo dwingend dat het door merg en been ging. 'Neeeee!' gilde de gil. 'Nee! Nee! Nee! Nee! Nee!'
De groep bevroor. De touwtrekkers hielden op met trekken en de toeschouwers hielden op met schreeuwen en allemaal, stuk voor stuk, keerden zij zich naar de kant waar het gillen vandaan kwam. Half lopend, half rennend kwamen over het strand uit de richting van het hotel drie mensen, een man, een vrouw en een jongetje. Ze renden half omdat het jongetje de man meetrok. De man hield de jongen bij z'n pols om hem tegen te houden, maar de jongen bleef trekken. Tegelijkertijd sprong en draaide en kronkelde hij om te proberen zich uit zijn vaders greep te bevrijden. Het was het jongetje dat gilde.
'Niet doen!' gilde hij. 'Niet doen! Laat 'm los! Laat 'm alsjeblieft los!'
De vrouw, zijn moeder, probeerde zijn andere arm te pakken om te helpen hem in bedwang te houden, maar de jongen sprong zo wild op en neer dat het haar niet lukte.
'Laat 'm los!' gilde de jongen. 'Het is afschuwelijk wat jullie aan

't doen zijn! Laat 'm alsjeblieft los!'
'Houd op, David!' zei de moeder, die nog steeds probeerde zijn andere arm te pakken te krijgen. 'Doe niet zo kinderachtig! Je stelt je verschrikkelijk aan.'
'Pappa!' gilde de jongen. 'Pappa zeg dat ze 'm los moeten laten.'
'Dat kan ik niet doen, David,' zei de vader. 'Daar hebben we niks mee te maken.'
De touwtrekkers stonden nog steeds roerloos, met het touw waar de reuzenschildpad aan vast zat nog in hun hand. Iedereen stond zwijgend en verbaasd naar het jongetje te staren. Ze waren allemaal een beetje van hun stuk gebracht. Ze zagen er een beetje schuldig uit, zoals mensen die betrapt zijn op iets dat niet helemaal netjes is.
'Kom nou, David,' zei de vader, hem de andere kant optrekkend. 'Laten we teruggaan naar het hotel en deze mensen met rust laten.'
'Ik ga niet terug!' schreeuwde de jongen. 'Ik wil niet terug! Ik wil dat ze hem loslaten!'
'Kom, David,' zei de moeder.
'Smeer 'm, knul,' zei de man met de harige borst tegen de jongen.
'Jullie zijn afschuwelijk en wreed,' schreeuwde de jongen. 'Jullie zijn allemaal afschuwelijk en wreed!' Hij slingerde deze woorden er hoog en schril uit tegen de veertig à vijftig volwassenen die daar op het strand stonden, en niemand, zelfs de behaarde man niet, antwoordde hem dit keer. 'Waarom duwen jullie 'm niet terug in de zee?' schreeuwde 't jongetje. 'Hij heeft jullie niks gedaan! Laat 'm los!'
De vader was in verlegenheid gebracht door zijn zoon, maar hij schaamde zich niet voor hem. 'Hij is gek op dieren,' zei hij tegen de groep. 'Thuis heeft hij alle mogelijke soorten dieren. Hij praat met ze.'
'Hij houdt van ze,' zei de moeder.
Verschillende mensen begonnen met hun voeten te schuifelen in het zand. Hier en daar kon je in de groep een verandering van stemming bespeuren, een gevoel van onzekerheid, zelfs een vleugje schaamte. Het jongetje, dat niet ouder dan acht of negen

jaar kon zijn, stribbelde niet langer tegen. De vader hield hem nog steeds bij de pols, maar hij hield hem niet langer in bedwang.
'Toe dan!' riep de jongen. 'Laat 'm dan los! Maak het touw dan los!' Hij stond klein en kaarsrecht tegenover de groep; zijn ogen straalden als sterren en de wind blies door zijn haren. Hij was geweldig.
'Er is niets wat we kunnen doen, David,' zei de vader. 'Laten we teruggaan.'
'Nee!' riep de jongen en op dat moment zwenkte hij plotseling en rukte zijn pols los uit zijn vaders greep. In een flits was hij er vandoor over het zand, naar de omgekeerde reuzenschildpad.
'David,' gilde zijn vader en rende achter hem aan. 'Ho! Kom terug!'
De jongen dook en zwenkte door de groep mensen als een rugbyspeler die er met de bal vandoor gaat, en de enige die hem probeerde te onderscheppen was de visser. 'Blijf bij die schildpad vandaan, jongen!' schreeuwde hij terwijl hij een uitval deed naar het snel rennende figuurtje. Maar de jongen zwenkte om hem heen en rende door. 'Hij bijt je in stukken,' gilde de visser. 'Ho, jongen! Stop!'
Maar het was al te laat om hem nog tegen te houden en toen hij recht op het hoofd van de schildpad afging, zag de schildpad hem en draaide snel zijn uitgestrekte kop naar hem toe.
De stem van de moeder van 't jongetje, de angstige, hartverscheurende stem van de moeder rees in een wanhoopskreet ten hemel. 'David,' klonk het, *'o, David!'* En even later liet de jongen zich op zijn knieën op het zand vallen, sloeg zijn armen om de gerimpelde oude nek en drukte het dier tegen zijn borst. Met zijn wang tegen de kop van de schildpad aangedrukt, bewogen zijn lippen en fluisterde hij zachte woordjes die niemand anders kon horen. De schildpad werd doodstil. Zelfs zijn reuzen vinnen hielden op met hun gewapper.
Een diepe zucht, een lange, zachte zucht van verlichting klonk op uit de groep. Velen gingen een paar passen achteruit, alsof ze probeerden een beetje afstand te nemen van iets wat hun begrip te boven ging. Maar de vader en de moeder liepen samen naar voren en bleven op zo'n drie meter van hun zoon af staan.

'Pappa!' riep de jongen, terwijl hij doorging met het strelen van de oude bruine kop. 'Toe, doe alsjeblieft iets, Pappa! Toe, maak alsjeblieft dat ze hem loslaten!'
'Kan ik hier van dienst zijn?' zei een man met een wit pak, die net uit het hotel was gekomen. Dit, dat wist iedereen, was meneer Edwards, de bedrijfsleider. Het was een grote Engelsman, met een lang roze gezicht en een haakneus. 'Hoe merkwaardig en eigenaardig!' zei hij, naar de jongen en de schildpad kijkend. 'Hij boft, dat zijn hoofd er nog niet afgebeten is.' En tegen de kleine jongen zei hij: 'Je kan maar beter bij 'm vandaan gaan, jochie. Dat beest is gevaarlijk.'
'Ik wil dat ze hem loslaten!' riep de jongen, met de kop nog steeds in zijn armen. 'Zeg dat ze 'm los moeten laten!'
'Beseft u wel dat hij elk ogenblik gedood kan worden,' zei de bedrijfsleider tegen de vader.
'Laat 'm met rust,' zei de vader.
'Onzin,' zei de bedrijfsleider. 'Haal hem weg. Maar doe 't snel. En kijk uit!'
'Nee,' zei de vader.
'Wat bedoelt u, nee?' vroeg de bedrijfsleider. 'Die beesten zijn moordenaars! Begrijpt u dat dan niet?'
'Jawel,' zei de vader.
'Maar haal 'm dan toch in vredesnaam daar weg, man!' riep de bedrijfsleider. 'Straks gebeurt er nog een heel vervelend ongeluk als u 't niet doet.'
'Van wie is hij?' vroeg de vader. 'Van wie is die schildpad?'
'Van ons,' zei de bedrijfsleider. 'Hij is gekocht door het hotel.'
'Doet u me dan een plezier,' zei de vader, 'en laat mij 'm van u kopen.'
De bedrijfsleider keek de vader aan maar zei niets.
'U kent mijn zoon niet,' zei de vader heel rustig. 'Hij wordt gek als dat dier naar 't hotel gebracht en geslacht wordt. Dan wordt hij hysterisch.'
'Haalt u 'm nou maar weg,' zei de bedrijfsleider. 'En vlug een beetje.'
'Hij houdt van dieren,' zei de vader. 'Hij is gek op ze. Hij praat met ze.'

De groep bleef stil om te horen wat er gezegd werd. Niemand liep weg. Ze stonden daar alsof ze gehypnotiseerd waren.
'Als we 'm loslaten,' zei de bedrijfsleider, 'wordt ie opnieuw gevangen.'
'Misschien wel,' zei de vader. 'Maar die dieren kunnen geweldig zwemmen.'
'Ik weet best hoe goed ze zwemmen,' zei de bedrijfsleider. 'En toch zullen ze 'm weer vangen. U moet goed begrijpen dat het een kostbare vangst is. Alleen het schild is al een hoop geld waard.'
''t Kan me niet schelen hoeveel het kost,' zei de vader. 'Dat is geen punt. Ik wil 'm kopen.'
De jongen lag nog steeds bij de schildpad geknield en liefkoosde zijn kop.
De bedrijfsleider haalde een zakdoek uit zijn borstzakje en begon zijn vingers af te vegen. Hij had er weinig zin in de schildpad af te staan. Waarschijnlijk had hij het menu voor het diner al klaar. Aan de andere kant wilde hij dit seizoen niet nog zo'n gruwelijk ongeluk op zijn eigen strand. Meneer Wasserman en de kokosnoot was meer dan genoeg voor één jaar, zei hij tegen zich zelf, dank je wel.
De vader zei: 'Ik zou het beschouwen als een grote persoonlijke gunst, meneer Edwards, als u mij toestaat hem te kopen. En ik beloof u dat u er niet op achteruit zult gaan. Daar zal ik zeer zeker voor zorgen.'
De wenkbrauwen van de bedrijfsleider gingen bijna onmerkbaar omhoog. Hij had het begrepen.
De vader wilde hem omkopen. Dat maakte de zaak heel anders. Hij ging nog een paar seconden door met afvegen van zijn handen. Toen haalde hij zijn schouders op en zei: 'Tja, ik denk zo, als dat uw zoon plezier doet...'
'Dank u wel,' zei de vader.
'O, dank u!' riep de moeder. 'Heel hartelijk dank!'
'Willy,' zei de bedrijfsleider en wenkte de visser.
De visser kwam. Hij was totaal in de war. 'Zoiets heb ik van mijn leven nog nooit gezien,' zei hij. 'Die ouwe schildpad was de felste

die ik ooit gevangen heb! Hij vocht als een duivel toen we hem binnenhaalden! We moesten er met z'n zessen voor vechten! Die jongen is gek!'
'Ja, ja,' zei de bedrijfsleider, 'maar nu wil ik dat jullie 'm loslaten.'
'Loslaten!' riep de visser ontzet. 'Deze mag u nooit van z'n leven loslaten, meneer Edwards! Hij breekt alle records! Het is de grootste schildpad die ik ooit op dit eiland gevangen heb, nee, de allergrootste! En hoe zit het met ons geld?'
'Jullie krijgen je geld.'
'Ik moet de andere vijf ook betalen,' zei de visser en wees naar de waterkant.
Ongeveer honderd meter verder stonden vijf zwarte, bijna naakte mannen naast een andere boot bij de zee. 'We zijn met z'n zessen en we delen gelijk op,' ging de visser verder. 'Ik kan 'm niet loslaten vóór we ons geld krijgen.'
'Ik sta er voor in,' zei de bedrijfsleider. 'Is dat soms niet genoeg voor je?'
'Ik sta er ook voor in,' zei de vader van 't jongetje en kwam naar voren. 'En jullie vissers krijgen alle zes 'n extraatje wanneer jullie hem meteen loslaten. Ik bedoel nu, op dit ogenblik.'
De visser keek de vader aan. Toen keek hij de bedrijfsleider aan.
'Okee,' zei hij. 'Jullie kunnen het krijgen zoals jullie 't hebben willen.'
'Er is één voorwaarde,' zei de vader. 'Vóór jullie je geld krijgen, moeten jullie beloven dat jullie niet onmiddellijk weer uitvaren om 'm opnieuw te vangen. In ieder geval niet vanavond. Begrepen?'
'Jawel', zei de visser, 'afgesproken.' Hij draaide zich om en rende het strand af, schreeuwend naar de vijf andere vissers. Hij riep iets wat we niet konden horen en binnen een minuut of twee kwamen ze alle zes samen terug. Vijf van hen droegen lange dikke, houten stokken.
De jongen lag nog steeds op z'n knieën bij de kop van de schildpad.
'David,' zei de vader zachtjes tegen hem, 'het is in orde, David. Ze gaan 'm loslaten.'
De jongen keek om, maar hij liet de nek van de schildpad niet

los en hij stond niet op. 'Wanneer?' vroeg hij.
'Nu,' zei de vader. 'Nu meteen. Je kunt dus maar beter hier komen.'
'Beloof je dat?' vroeg de jongen.
'Ja, David. Ik beloof het.'
De jongen trok zijn armen terug. Hij stond op. Hij deed een paar stappen naar achteren.
'Uit de weg allemaal!' schreeuwde de visser die Willy heette. ''n Flink eind uit de weg allemaal, alstublieft!'
De groep ging een paar meter verderop. De touwtrekkers lieten het touw los en gingen met de anderen mee.
Willy liet zich op handen en voeten zakken en kroop heel voorzichtig naar de zijkant van de schildpad toe. Daar begon hij de knoop van het touw los te maken. Terwijl hij daarmee bezig was bleef hij zorgvuldig buiten bereik van de grote vinnen.
Toen de knoop los was kroop hij terug. Toen kwamen de andere vijf vissers naar voren met hun stokken. De stokken waren ruim twee meter lang en behoorlijk dik. Die wrikten ze onder het schild en ze begonnen het grote dier op dat schild heen en weer te wiebelen. Het schild had de vorm van een hoge koepel en kon dus heel gemakkelijk wiebelen.
'Op en neer!' zongen de vissers terwijl ze wrikten. 'Op en neer!'
De oude schildpad raakte volledig overstuur en wie kan hem dat kwalijk nemen? De grote vinnen sloegen wild in de lucht en de kop bleef in en uit 't schild schieten.
'Rol 'm maar om!' zongen de vissers. 'Omhoog en om! Rol 'm maar om! Nog een keer en daar gaat ie!'
De schildpad wankelde hoog op zijn zij en kwam dreunend met de goede kant boven op het zand neer.
Maar hij liep niet meteen weg. De grote bruine kop kwam naar buiten en tuurde omzichtig om zich heen.
'Ga dan, schildpad, ga dan!' riep het jongetje. 'Ga terug naar de zee!'
De twee overschaduwde zwarte ogen van de schildpad tuurden naar de jongen. De ogen waren helder en levendig, vol met de wijsheid van een lang leven. De jongen keek de schildpad aan en dit keer

klonk zijn stem zacht en vertrouwelijk. 'Nou dag, oude man,' zei hij. 'Ga maar ver weg deze keer.' De zwarte ogen bleven nog een paar seconden op de jongen rusten. Niemand verroerde zich. Toen, op immens waardige wijze draaide hij zich om en begon waggelend naar de oceaan toe te lopen. Hij haastte zich niet. Hij bewoog zich kalm over het strand en zijn grote schild zwaaide zachtjes heen en weer onder het lopen.
De groep keek zwijgend toe.
Hij ging het water in.
Hij ging verder.
Al gauw zwom hij. Nu was hij in zijn element. Hij zwom sierlijk en heel snel, met zijn kop hoog in de lucht. De zee was kalm en hij maakte kleine golfjes die achter hem uitwaaierden als de boeggolf van een boot. Het duurde enkele minuten voor hij uit het gezicht verdween en op dat moment was hij al bijna halverwege de horizon.
De gasten wandelden naar het hotel terug. Ze waren vreemd stil. Nu werd er niet gelachen en gedold en er werden geen grappen gemaakt. Er was iets gebeurd. Iets vreemds was over het strand gevaagd.
Ik liep terug naar mijn terrasje en stak een sigaret op. Ik had het onbehagelijke gevoel dat het nog niet afgelopen was.
De volgende morgen bracht het Jamaicaanse meisje, dat mij over meneer Wasserman en de kokosnoot had verteld, mij een glas sinaasappelsap op mijn kamer.
'Hele toestanden in het hotel vanmorgen,' zei ze terwijl ze het glas op de tafel zette en de gordijnen opentrok. 'Iedereen rent op en neer, als kippen zonder kop.'
'Hoe zo? Wat is er gebeurd?'
'Dat jongetje van nummer twaalf, dat is zoek. Hij is vannacht verdwenen.'
'Je bedoelt dat jongetje van de schildpad?'
'Dat is 'm,' zei ze. 'Zijn ouders zetten het hele hotel op stelten en de bedrijfsleider wordt bijna gek.'
'Hoe lang is hij al weg?'
'Zo'n twee uur geleden vond zijn vader z'n bed leeg. Maar hij kan

natuurlijk elk moment 's nachts weggelopen zijn, lijkt me.'
'Ja,' zei ik, 'dat kan.'
'Iedereen in het hotel is op zoek, hoog en laag,' zei ze, 'en er is net een politieauto gekomen.'
'Misschien is ie alleen maar vroeg opgestaan om wat over de rotsen te klauteren,' zei ik.
Haar grote, donkere, gesluierde ogen bleven een ogenblik op mijn gezicht rusten en keken daarna de andere kant op.
'Dat denk ik niet,' zei ze en weg was ze.
Ik trok wat kleren aan en haastte me naar het strand. Op het strand zelf stonden twee plaatselijke politieagenten in kaki uniformen bij meneer Edwards, de bedrijfsleider. Meneer Edwards was aan het woord. De agenten luisterden geduldig. In de verte zag ik in beide richtingen op het strand kleine groepjes mensen, zowel hotelpersoneel als gasten, uitwaaieren naar de rotspartijen. Het was een prachtige ochtend. De lucht was staalblauw met een licht waas van geel. De zon was op en deed de gladde zee flonkeren van de diamanten. En meneer Edwards praatte met luide stem tegen de politieagenten en zwaaide met zijn armen.
Ik wilde helpen. Wat moest ik doen? Welke kant op? Het had geen zin om gewoon de anderen achterna te gaan. Dus liep ik maar door naar meneer Edwards.
Op dat moment zag ik de vissersboot. De lange houten kano met zijn enkele mast en bruine wapperende zeil was nog een heel eind op zee, maar hij kwam op het strand af. De twee zwarten aan boord waren ieder aan een kant van de boot hard aan het peddelen. De peddels gingen met zo'n geweldige snelheid heen en weer dat het leek of ze aan een race meededen.
Ik stond stil en keek naar ze.
Waarom zo ontzettend veel haast om bij de kust te komen? Ze hadden kennelijk iets te vertellen. Ik hield mijn blik op de boot gevestigd. Links van mij hoorde ik meneer Edwards tegen de agenten zeggen: 'Het is te gek om los te lopen. Dat kunnen we gewoon niet hebben, dat mensen zo maar uit het hotel verdwijnen. Jullie moeten hem heel snel vinden, begrepen? Hij is misschien een

eindje gaan wandelen en verdwaald, of hij is ontvoerd. Hoe dan ook, de politie is verantwoordelijk voor...'
De vissersboot scheerde over de zee en gleed het strand op bij de waterlijn. De beide mannen lieten hun peddels vallen en sprongen er uit. Ze renden het strand op. De voorste herkende ik, het was Willy. Toen hij de bedrijfsleider en de twee politieagenten in het oog kreeg, rende hij recht op hen af.
'Hee, meneer Edwards!' riep Willy. 'We hebben zo net iets krankzinnigs gezien!'
De bedrijfsleider verstijfde en rukte zijn hoofd naar achteren. De twee politieagenten bleven onverstoorbaar. Zij waren gewend aan opgewonden mensen. Die zagen ze dag in dag uit.
Willy stond stil bij het groepje; zijn borst ging zwaar op en neer van het hijgen. De andere visser kwam vlak achter hem aan. Ze waren allebei naakt, op een piepklein lendendoekje na, en hun zwarte huid glom van het zweet.
'We hebben een heel eind op volle kracht gepeddeld,' zei Willy om zijn gehijg te verontschuldigen. 'We dachten dat we maar zo snel mogelijk terug moesten komen om het te vertellen.'
'Wat vertellen?' vroeg de bedrijfsleider. 'Wat hebben jullie gezien?'
'Het was waanzinnig, man! Absoluut waanzinnig!'
'Schiet op, Willy, in vredesnaam.'
'Je zult het niet geloven,' zei Willy, 'geen mens zal 't kunnen geloven. Waar of niet, Tom?'
'Dat is zo,' zei de andere visser heftig knikkend. 'Als Willy hier er niet bij was geweest om het te bewijzen, had ik mijn eigen ogen nog niet geloofd!'
'Wat geloofd?' vroeg meneer Edwards. 'Vertel ons alleen maar wat jullie gezien hebben.'
'We waren al vroeg weg,' zei Willy. 'Al om 'n uur of vier vanmorgen, en we moeten een paar mijl de zee op geweest zijn vóór het licht genoeg werd om iets te kunnen zien. Plotseling toen de zon op kwam, zien we daar voor ons, nog geen vijftig meter van ons vandaan, zien we iets wat we bijna niet konden geloven, al zagen we het met onze eigen ogen...'

'Wat dan?' snauwde meneer Edwards. 'Schiet in hemelsnaam een beetje op!'
'Daar zien we die ouwe monsterschildpad zwemmen, die van gisteren, en daar zien we 't jongetje hoog en droog op z'n rug zitten en hem berijden alsof het een paard is!'
'Jullie moeten 't geloven!' riep de andere visser. 'Ik zag 't ook, dus jullie moeten 't geloven!'
Meneer Edwards keek na. . de twee politieagenten. De twee agenten keken naar de visser. 'Jullie houden ons toch niet voor de gek, hè?' zei een van hen.
'Ik zweer het!' riep Willy. 'Het is de volle waarheid! Daar zit dat kleine jochie hoog boven op de rug van de schildpad, zonder dat zelfs maar z'n tenen 't water raken! Hij is zo droog als wat en zit daar even makkelijk en lekker als op een stoel! Dus wij er achter aan. Natuurlijk gaan we er achter aan. Eerst proberen we hem heel stilletjes te benaderen, zoals we altijd doen wanneer we schildpadden vangen, maar de jongen ziet ons. We zijn niet erg ver van ze af, op dat moment, begrijp je. Niet verder dan van hier naar het water. En als die jongen ons ziet, buigt ie een beetje voorover, alsof hij iets tegen die ouwe schildpad zegt, en de schildpad tilt zijn kop op en hij begint me daar toch te zwemmen, alsof de duivel 'm op de hielen zit. Man, wat kan die schildpad zwemmen! Tom en ik kunnen behoorlijk hard peddelen, wanneer we zin hebben, maar tegen dat monster hebben we geen kans! Geen schijn van kans! Hij gaat zeker twee keer zo hard als wij! Makkelijk twee keer zo hard, wat jij, Tom?'
'Ik zeg dat hij *wel drie keer* zo hard gaat,' zei Tom, 'en ik zal je zeggen waarom. In zo'n tien à vijftien minuten zijn ze ons een mijl voor.'
'Maar waarom riep je in godsnaam niets naar de jongen?' vroeg de bedrijfsleider. 'Waarom zeiden jullie niks tegen 'm toen jullie nog dicht bij 'm waren?'
'We hebben aan een stuk door geroepen, man!' riep Willy. 'Zodra de jongen ons ziet en we niet meer stilletjes bij ze proberen te komen, beginnen we te schreeuwen. We hebben van alles tegen dat joch

geroepen, alles wat we maar konden bedenken om hem aan boord te krijgen. "Hee, jongen," schreeuw ik, "ga met ons mee terug! We zullen je een lift naar huis geven! Spring eraf en zwem hierheen nu je de kans nog hebt, dan vissen we je wel op! Vooruit knul, spring dan! Je mamma zit vast thuis op je te wachten, kom dus maar gauw met ons mee!" En een keer heb ik naar 'm geroepen: "Hoor es, jongen! We zullen je wat beloven! We beloven je die ouwe schildpad niet te vangen, als je met ons mee teruggaat!"'
'Zei ie niks terug?' vroeg de bedrijfsleider.
'Hij kijkt nog niet eens om!' zei Willy. 'Hij zit boven op dat schild en zwaait zo'n beetje van achteren naar voren met zijn lichaam, alsof hij de ouwe schildpad steeds vlugger en vlugger wil laten gaan! Dat kleine jochie zijn jullie kwijt, meneer Edwards, als er niet iemand als de bliksem heen gaat en 'm eraf haalt!'
Het doorgaans roze gezicht van de bedrijfsleider was nu spierwit geworden. 'Welke kant gingen ze op?' vroeg hij scherp.
'Naar het noorden,' antwoordde Willy. 'Bijna recht naar 't noorden.'
'Juist!' zei de bedrijfsleider. 'We zullen de speedboot nemen! Jou wil ik mee hebben, Willy. En jou ook, Tom.'
De bedrijfsleider, de twee politieagenten en de twee vissers renden naar de plaats waar de boot, die voor het waterskiën gebruikt werd, op het strand lag. Ze duwden de boot de zee in en zelfs de bedrijfsleider hielp een handje mee, met zijn keurig geperste witte broek tot aan zijn knieën in het water. Daarna klommen ze er allemaal in.
Ik zag ze wegzoeven.
Twee uur later zag ik ze terugkomen. Ze hadden niets gevonden. Die hele dag zochten speedboten en jachten van de andere hotels langs de kust de oceaan af. 's Middags huurde de vader van de jongen een helikopter. Hij ging zelf mee en ze bleven wel drie uur in de lucht. Ze vonden geen spoor van de schildpad of de jongen. Een week lang gingen ze door met zoeken, maar zonder resultaat. En nu is er bijna een jaar voorbijgegaan sinds het gebeurde. In al die tijd is er maar één klein interessant nieuwsberichtje geweest. Een stel Amerikanen uit Nassau op de Bahama-eilanden waren aan

het diepzeevissen in de buurt van een groot eiland dat Eleuthera heet. In dat gebied zijn letterlijk duizenden koraalriffen en onbewoonde eilandjes, en op een van die kleine eilandjes zag de kapitein van het jacht door zijn verrekijker een klein menselijk figuurtje. Er was een zandstrand op dat eilandje en dat kleine figuurtje liep op het strand. De verrekijker werd doorgegeven en iedereen die er door keek was het erover eens dat het een kind moest zijn. Er heerste opwinding aan boord en de vislijnen werden snel ingehaald. De kapitein stuurde zijn jacht op het eiland af. Toen ze er zo'n halve kilometer van af waren, konden ze door de verrekijker duidelijk zien dat het figuurtje op het strand een jongen was, erg gebruind door de zon, maar vrijwel zeker blank, geen neger. Op datzelfde ogenblik merkten de toeschouwers op het jacht nog iets op, iets op het zand naast de jongen wat leek op een reuzenschildpad. Wat toen gebeurde, gebeurde razendsnel. De jongen, die het naderende jacht waarschijnlijk in de gaten had gekregen, sprong op de rug van de schildpad en het enorme dier ging het water in en zwom met grote snelheid om het eiland heen, uit het gezicht. Het jacht heeft twee uur gezocht, maar er is geen glimp meer opgevangen van de jongen of van de schildpad.
Er is geen reden om dit bericht niet te geloven. Er waren vijf mensen op het jacht. Vier van hen waren Amerikanen en de kapitein was een inwoner van Nassau op de Bahama's. Allemaal hebben ze op hun beurt de jongen en de schildpad gezien door de verrekijker.
Om van Jamaica over zee bij het eiland Eleuthera te komen, moet je eerst driehonderdvijftig kilometer naar het noord-oosten tussen Cuba en Haïti door reizen. Dan moet je minstens vijfhonderd kilometer noord-noord-west koersen. Dat is bij elkaar een afstand van achthonderdvijftig kilometer, wat een heel erg lange reis is voor een klein jongetje op het schild van een reuzenschildpad.
Wat moeten we van dit alles denken?
Misschien komt hij nog wel eens terug op een goede dag, maar zelf geloof ik daar niet in. Ik heb zo 't gevoel dat hij heel gelukkig is waar hij nu is.

De lifter

Ik had een nieuwe auto. Het was een opwindend stuk speelgoed, een grote BMW 3,3 l (dat betekent 3,3 liter) met brede wielbasis en injectiemotor.
Hij had een topsnelheid van tweehonderd kilometer per uur en een geweldig snelle acceleratie. De carrosserie was bleekblauw. De stoelen binnenin waren donkerder blauw en bekleed met leer, echt zacht leer van de beste kwaliteit. De ramen gingen elektrisch open en dicht en het dak ook. De radioantenne schoot naar boven wanneer ik de radio aanzette en verdween weer wanneer ik 'm uitzette. De machtige motor gromde en grauwde ongeduldig bij lage snelheden, maar zo tegen de honderd kilometer per uur hield het grommen op en begon de motor te snorren van plezier.
Ik reed in m'n eentje naar Londen. Het was een prachtige junidag. In de weilanden werd gehooid en er bloeiden boterbloemen aan beide kanten van de weg. Ik zoefde voorbij met een snelheid van honderdtwintig kilometer per uur, gemakkelijk achterover geleund in mijn stoel, met niet meer dan een paar vingers lichtjes op het stuur om haar recht te houden. Voor mij zag ik een man met zijn duim om een lift vragen. Ik remde en bracht de auto naast hem tot stilstand. Ik stopte altijd voor lifters. Ik wist precies hoe je je voelde wanneer je daar langs een landweg stond en de auto's voorbij zag rijden. Ik haatte de bestuurders die net deden of ze me niet zagen, vooral die in de grote sleeën met drie lege stoelen. De grote, dure wagens stopten zelden of nooit. Het waren altijd de kleintjes die je een lift aanboden, of die al stikvol met kinderen zaten maar waarvan de bestuurder toch zei: 'Ik denk dat er nog wel eentje bij kan.'
De lifter stak zijn hoofd door het raampje en vroeg: 'Gaat u naar Londen, baas?'
'Ja,' zei ik. 'Spring er maar in.' Hij stapte in en ik reed door.
Het was een kleine man met een ratachtig gezicht en grijze tanden. Zijn ogen waren donker, snel en slim, zoals de ogen van een rat, en zijn oren liepen een beetje puntig toe. Hij had een pet op zijn

hoofd en droeg een grijzig jasje met enorme zakken. Het grijze jasje plus de snelle ogen en de puntige oren maakten dat hij echt het meest op een reusachtige menselijke rat leek.
'In welk deel van Londen moet je zijn?' vroeg ik.
'Ik ga dwars door Londen heen en aan de andere kant er weer uit,' zei hij. 'Ik ga naar de paardenrennen in Epsom. Daar wordt vandaag de Derby gelopen.'
'Ja, dat is waar ook,' zei ik. 'Ik wou dat ik met je meekon. Ik ben dol op wedden op paarden.'
'Ik wed nooit op paarden,' zei hij. 'Ik kijk niet eens naar de races. Dat is allemaal maar flauwekul.'
'Waarom ga je er dan heen?' vroeg ik.
Die vraag scheen hem niet te bevallen. De uitdrukking op zijn kleine ratachtige gezichtje werd nietszeggend en hij bleef zwijgend voor zich uit op de weg zitten staren.
'Dan bedien je zeker die machines waar je weddenschappen bij af kunt sluiten of zo iets,' zei ik.
'Dat is helemaal stomme onzin,' antwoordde hij. 'Wat is daar nou aan, aan het werken met die rotmachines en kaartjes verkopen aan idioten. Iedere onnozele hals kan dat werk doen.'
Er viel een lange stilte. Ik besloot hem niet verder uit te horen. Ik herinnerde me hoe nijdig ik altijd werd in de tijd dat ik ook nog liftte, wanneer bestuurders *mij* steeds maar vragen bleven stellen. Waar ga je heen? Wat ga je daar doen? Wat voor werk doe je? Ben je getrouwd? Heb je een meisje? Hoe heet ze? Hoe oud ben je? En zo voorts, en zo voorts. Ik had daar altijd vreselijk de pest aan gehad.
'Neem me niet kwalijk,' zei ik. 'Het gaat me niks aan wat je daar doet. Het is alleen maar dat ik schrijver ben en de meeste schrijvers zijn verschrikkelijk nieuwsgierig.'
'Schrijft u boeken?' vroeg hij.
'Ja'.
'Boeken schrijven is prima,' zei hij. 'Dat is wat ik noem een echt gespecialiseerd vak. Ik heb ook een echt gespecialiseerd vak. De mensen waar ik 'n hekel aan heb zijn die die hun hele leven lang

stom routinewerk doen, waar geen enkel vakmanschap voor nodig is. Voelt u 'm?'
'Jawel.'
'Het geheim van het leven,' zei hij, 'is heel erg goed te worden in iets dat heel erg moeilijk is.'
'Zoals jij,' zei ik.
'Precies zoals u en ik allebei.'
'Wat geeft je het idee dat *ik* een goed vakman ben?' vroeg ik. 'Er lopen massa's slechte schrijvers rond.'
'U zou nooit in een wagen als deze rondrijden, als u geen goed vakman was,' antwoordde hij. 'Die moet een lieve duit gekost hebben!'
'Goedkoop was ie niet.'
'Hoeveel doet ie op z'n hardst?'
'Tweehonderd kilometer per uur,' vertelde ik hem.
'Wedden dat ie dat niet haalt!'
'Wedden van wel?'
'Alle autofabrikanten liegen,' zei hij. 'Je kunt elke auto kopen die je maar wilt, maar denk maar niet dat hij doet wat ze in de advertenties zeggen.'
'Deze wel.'
'Geef dan maar es volgas en bewijs het,' zei hij. 'Vooruit dan, baas, geef gas en laat maar es zien wat ie er van bakt.'
Er is een rotonde bij Chalfont St. Peter en daarna een heel stuk rechte vierbaansweg. We kwamen van de rotonde op de vierbaansweg en ik gaf plankgas. De grote wagen sprong weg als door een wesp gestoken. In tien seconden of zo deden we honderdveertig.
'Prachtig!' riep hij. 'Schitterend. Ga zo door!'
Ik had het gaspedaal tegen de vloer gedrukt en hield 'm daar.
'Honderdvijftig...!' schreeuwde hij. 'Honderdzestig...! Honderdzeventig! Ga zo door. Niet ophouden!'
Ik zat op de inhaalstrook en we flitsten allerlei auto's voorbij die wel stil leken te staan: een groene mini, een grote crème-kleurige citroën, een witte land-rover, een reusachtige truck met oplegger, een oranje volkswagenbusje...

'Honderdtachtig!' schreeuwde mijn passagier op zijn stoel wippend. 'Toe dan! Toe dan! Op naar de tweehonderd!'
Op dat moment hoorde ik het gekrijs van een politiesirene. Het klonk zo hard dat het binnen in de auto scheen te galmen, en toen doemde een politieagent op een motorfiets rechts naast ons op, passeerde ons en gaf een stopteken met zijn hand.
'O, hemeltjelief!' zei ik. 'Nu zullen we het hebben!'
De politieagent moet meer dan tweehonderd gereden hebben om ons te passeren en hij nam ruim de tijd om af te remmen. Uiteindelijk stond hij stil aan de kant van de weg en ik stopte achter hem. 'Ik wist niet dat politiemotoren zo hard konden rijden,' zei ik nogal tam.
'Die wel,' zei mijn passagier. 'Het is hetzelfde merk als de uwe. Het is een BMW R90S. Snelste motor die er is. Die gebruiken ze tegenwoordig allemaal.'
De politieagent stapte van zijn motorfiets en liet hem opzij op zijn standaard leunen. Toen deed hij zijn handschoenen uit en legde ze zorgvuldig op het zadel. Hij had nu geen haast meer. Hij had ons waar hij ons hebben wilde en dat wist hij.
'Dit keer zijn we er gloeiend bij,' zei ik. 'Het bevalt me niks.'
'Niet meer zeggen dan absoluut noodzakelijk is, hoort u,' zei mijn metgezel. 'Gewoon zitten blijven en tanden op elkaar.'
Als de beul die zijn slachtoffer komt halen, kwam de politieagent langzaam op ons toe gewandeld. Het was een grote, vlezige man met een buik en zijn blauwe broek zat strak om zijn enorme dijen gespannen. Hij had zijn motorbril op zijn helm gezet en toonde nu een rood smeulend gezicht met brede wangen.
Daar zaten we als schuldige schooljongetjes te wachten op zijn komst.
'Kijk uit voor die man,' fluisterde mijn passagier. 'Hij ziet er ingemeen uit.'
De politieagent liep rond de auto naar mijn open raampje en legde een vlezige hand op de rand. 'Waarom zo'n haast?' vroeg hij.
'Geen haast, agent,' antwoordde ik.
'Zit er misschien een zwangere vrouw achterin die onmiddellijk

naar het ziekenhuis moet om haar baby te krijgen? Is dat 't?'
'Nee, agent.'
'Of staat uw huis in brand en racet u nu naar huis om uw gezin te redden?' Zijn stem klonk gevaarlijk zacht en spottend.
'Mijn huis staat niet in brand, agent.'
'In dat geval,' zei hij, 'hebt u zich aardig in de nesten gewerkt, hè? Weet u wat de maximum snelheid is in dit land?'
'Honderd,' zei ik.
'En wilt u nu ook zo goed zijn mij precies te vertellen hoe hard u daarnet reed?'
Ik haalde mijn schouders op en zei niets.
Toen hij weer begon te praten deed hij dat zo hard, dat ik bijna uit mijn stoel vloog. *'Honderdtachtig kilometer per uur!'* blafte hij. 'Dat is *tachtig* kilometer per uur boven het maximum!'
Hij draaide zijn hoofd af en spuugde een grote rochel uit. Die kwam neer op de zijkant van mijn auto en gleed omlaag over mijn prachtige blauwe lak. Toen draaide hij zich weer naar ons toe en staarde strak naar mijn passagier. 'En wie bent u?' vroeg hij scherp.
'Dat is een lifter,' zei ik. 'Ik heb hem een lift gegeven.'
'Ik vroeg u niks,' zei hij. 'Ik vroeg het aan hem.'
'Heb ik soms iets verkeerds gedaan?' vroeg mijn passagier. Zijn stem klonk glad en glibberig als brillantine.
'Vast wel,' antwoordde de agent. 'Maar hoe dan ook, u bent een getuige. Ik zal me zo wel met u bezighouden. Rijbewijs,' snauwde hij en stak zijn hand uit.
Ik gaf hem mijn rijbewijs.
Hij knoopte het linkerborstzakje van zijn uniform los en haalde het gevreesde bonboekje tevoorschijn. Zorgvuldig nam hij mijn naam en adres van het rijbewijs over. Daarna gaf hij het aan mij terug. Hij stapte naar de voorkant van mijn auto, las het nummer van het nummerbord op en noteerde ook dat. Hij vulde de datum, de tijd en alle bijzonderheden van mijn overtreding in. Toen scheurde hij het bovenste stuk van de bon. Maar voor hij mij die overhandigde keek hij na of alles wel goed was doorgekomen op zijn eigen carbonkopie. Tenslotte deed hij het boekje weer in zijn borstzak

en deed de knoop dicht.
'Nu jij,' zei hij tegen mijn passagier, en liep naar de andere kant van de auto. Uit zijn andere borstzakje haalde hij een zwart notitieboekje. 'Naam?' snauwde hij.
'Michiel Vis,' zei mijn passagier.
'Adres?'
'Windsorlaan 14, Luton.'
'Laat maar es wat zien om te bewijzen dat dat je echte naam en adres is,' zei de agent.
Mijn passagier doorzocht zijn zakken en haalde zijn eigen rijbewijs tevoorschijn. De politieagent controleerde de naam en het adres en gaf het weer aan hem terug. 'Wat voor beroep?' vroeg hij scherp.
'Ik ben opperman.'
'*Wat?*'
'Opperman.'
'En wat mag dat wel wezen?'
'Een opperman is degene die het cement en de stenen naar boven brengt op de steiger naar de metselaar. Voor het cement heb je twee houten plankjes nodig die niet helemaal haaks op mekaar...'
'Ja, ja, zo is 't wel genoeg. Wie is je werkgever?'
'Heb ik niet. Ik ben werkloos.'
De politieagent schreef dat allemaal op in zijn zwarte notitieboekje. Toen deed hij het terug in zijn zakje en deed de knoop dicht.
'Als ik weer op het bureau ben zal ik jou es even natrekken,' zei hij tegen mijn passagier.
'Mij? Wat heb ik voor verkeerds gedaan?' vroeg het ratachtige mannetje.
'Jouw gezicht bevalt me niet, dat is alles,' zei de politieagent. 'En het zou me niks verbazen als we daar ergens een plaatje van hadden in onze archieven.' Hij stapte om de auto heen terug naar mijn raampje.
'Ik neem aan dat u weet dat u in ernstige moeilijkheden zit,' zei hij tegen mij.
'Ja agent.'
'U zult een heel erg lange tijd niet meer in deze luxe slee rijden,

als wij met u klaar zijn. U zult trouwens in geen enkele auto meer rijden voor een paar jaar. En dat is maar goed ook. Ik hoop dat ze er een poosje achter slot en grendel bij doen.'
'Gevangenisstraf, bedoelt u?' vroeg ik geschrokken.
'Nou en of,' zei hij smakkend met zijn lippen. 'In de bajes. In de nor. Bij al die misdadigers die de wet overtreden. En nog een malse boete op de koop toe. Niemand zal daar meer plezier aan beleven dan ik. Ik zie jullie nog wel voor de rechter, jullie allebei. Jullie krijgen wel een oproep om te verschijnen.'
Hij draaide zich om en liep naar zijn motorfiets. Met zijn voet wipte hij de standaard weer in en zwaaide zijn been over het zadel. Daarna trapte hij op de starter en raasde weg uit het gezicht.
'Oeioei!' hijgde ik. 'Is me dat even wat!'
'We zijn erbij,' zei mijn passagier. 'We zijn er gloeiend bij.'
'Ik ben er bij, bedoel je.'
'Ja dat is zo,' zei hij. 'Wat gaat u nu doen baas?'
'Ik ga regelrecht naar Londen naar mijn advocaat,' zei ik. Ik startte de auto en reed verder.
'U moet niet geloven wat hij over de gevangenis zei,' zei mijn passagier. 'Ze bergen niemand op voor alleen maar te hard rijden.'
'Weet je dat zeker?' vroeg ik.
'Heel zeker,' antwoordde hij. 'Ze kunnen u uw rijbewijs afnemen en een enorme boete geven, maar daar houdt 't mee op.'
Ik voelde me geweldig opgelucht.
'Tussen twee haakjes,' zei ik. 'Waarom loog je tegen hem?'
'Wie, ik?' vroeg hij. 'Hoe komt u daar zo bij?'
'Je zei tegen hem dat je een werkloze opperman was. Maar mij had je verteld dat je een hoog gespecialiseerd vakman was.'
'Ben ik ook,' zei hij. 'Maar je kan maar beter niet alles aan een smeris vertellen.'
'Wat doe je dan wel?' vroeg ik hem.
'Aha,' zei hij sluw. 'Dat zou u wel eens willen weten, hè?'
'Is het soms iets waar je je voor schaamt?'
'Schamen?' riep hij. 'Ik me schamen voor m'n werk? Ik ben er trotser op dan wie dan ook in de hele wereld!'

'Waarom wil je het me dan niet vertellen?'
'Jullie schrijvers zijn echt verschrikkelijk nieuwsgierig, hè?' zei hij. 'En u zult niet eerder tevreden zijn, denk ik zo, voor u het antwoord op uw vraag hebt gekregen, hè?'
'Ach het kan me eigenlijk helemaal niet zoveel schelen,' loog ik.
Hij wierp me een slimme ratachtige blik toe vanuit zijn ooghoeken. 'Ik denk dat het u wel kan schelen,' zei hij. 'Ik kan aan uw gezicht zien, dat u denkt dat ik een heel eigenaardig vak heb en dat u dolgraag wilt weten wat het is.'
De manier waarop hij mijn gedachten las beviel me maar matig. Ik zei niets en hield mijn ogen op de weg voor me gericht.
'U hebt nog gelijk ook,' ging hij verder. 'Ik *heb* een heel eigenaardig beroep. Ik heb het vreemdste en eigenaardigste vak dat er bestaat.'
Ik wachtte op wat hij verder zou zeggen.
'Daarom moet ik extra voorzichtig zijn tegen wie ik praat, ziet u. Hoe weet ik bijvoorbeeld dat u niet ook een smeris bent, in burger?'
'Zie ik eruit als een smeris?'
'Nee,' zei hij. 'Dat doet u niet. Dat bent u ook niet. Dat zou de grootste stommeling nog wel weten.'
Hij haalde een pakje shag uit zijn zak en een pakje vloeitjes en begon een sigaret te rollen. Ik keek naar hem vanuit een ooghoek en de snelheid waarmee hij dat niet zo gemakkelijke karweitje verrichtte was ongelooflijk. De sigaret was gerold en klaar in niet meer dan vijf seconden. Hij likte langs de rand van het papiertje, plakte het vast en stak de sigaret tussen zijn lippen. Toen verscheen uit het niets, naar het leek, een aansteker in zijn hand. De aansteker vlamde op. De sigaret brandde. De aansteker verdween. Het was alles bij elkaar een heel opmerkelijk schouwspel.
'Ik heb nog nooit iemand zo vlug een sigaret zien rollen,' zei ik.
'Aha,' zei hij en inhaleerde diep. 'Dus dat viel u wel op.'
'Natuurlijk viel me dat op. Het was fantastisch.'
Hij leunde achterover en glimlachte. Hij vond het kennelijk prettig dat het mij opgevallen was hoe snel hij kon rollen. 'Wilt u weten hoe ik dat kan?' vroeg hij.

'Ga door.'
'Dat komt omdat ik fantastische vingers heb. Deze vingers van mij,' zei hij, en hield zijn beide handen omhoog, 'zijn nog sneller en slimmer dan de vingers van de allerbeste pianist in de hele wereld!'
'Ben jij dan pianist?'
'Man hou op,' zei hij. 'Zie ik eruit als een pianist?'
Ik wierp een blik op zijn vingers. Ze waren zo prachtig gevormd, zo slank en lang en elegant, dat ze eigenlijk helemaal niet bij de rest leken te horen. Ze leken meer op de vingers van een hersenchirurg of een klokkenmaker.
'Mijn vak,' vervolgde hij, 'is honderd keer moeilijker dan pianospelen. Iedere sul kan dat wel leren. Je ziet tegenwoordig in bijna elk huis klungelige kleine kinderen piano leren spelen. Zo is 't toch?'
'Zo ongeveer wel,' zei ik.
'Natuurlijk is het zo. Maar nog niet één op de tien miljoen kan leren wat ik kan. Nog niet één op de tien miljoen! Wat zegt u me daarvan?'
'Verbazend,' zei ik.
'En óf het verbazend is,' zei hij.
'Ik denk dat ik het weet,' zei ik. 'Je doet goocheltrucs, je bent goochelaar.'
'Ik?' zei hij snuivend. 'Een goochelaar? Ziet u mij op knullige kinderpartijtjes konijnen uit hoge hoeden toveren?'
'Dan ben je een pokerspeler. Je vraagt mensen om met je te kaarten en dan geef je jezelf prachtige kaarten.'
'Ik? Een smerige valsspeler?' riep hij. 'Dat is een van de vuilste, rottigste zaakjes die er zijn.'
'Goed dan, ik geef het op.'
Ik reed nu heel langzaam, niet meer dan zeventig kilometer per uur, om er helemaal zeker van te zijn dat ik niet opnieuw zou worden aangehouden. We waren op de hoofdweg van Londen naar Oxford gekomen en gingen de heuvel af naar Denham.
Plotseling hield mijn passagier een zwarte leren riem omhoog in zijn hand. 'Komt die u bekend voor?' vroeg hij. De riem had een koperen gesp van een ongewone vorm.

'Hee!' zei ik. 'Die is van mij, is het niet? Die is van mij. Waar heb je die vandaan?'
Hij grinnikte en zwaaide de riem zachtjes op en neer. 'Waar denkt u?' vroeg hij. 'Uit uw broek natuurlijk.'
Ik stak mijn hand uit en voelde naar mijn riem. Hij was weg.
'Bedoel je dat je die weggenomen hebt terwijl we reden?' vroeg ik verbijsterd.
Hij knikte terwijl hij me steeds bleef aankijken met die kleine, zwarte rattenoogjes.
'Dat is onmogelijk,' zei ik. 'Dan heb je de gesp los moeten maken en het hele ding door de lussen moeten laten glijden. Ik had het je zien doen. En als ik het niet gezien had, dan had ik 't wel gevoeld.'
'Aja, maar dat deed u niet, is het wel?' zei hij triomfantelijk. Hij liet de riem op zijn schoot vallen en nu plotseling bengelde er een bruine schoenveter aan zijn vingers. 'En hoe zit het hier mee?' riep hij uit, en zwaaide met de veter.
'Wat is daarmee?' vroeg ik.
'Mist iemand hier soms een veter?' vroeg hij grinnikend.
Ik keek vlug naar mijn schoenen. Een ervan miste een veter.
'Lieve help!' zei ik 'Hoe heb je dat voor mekaar gekregen? Ik heb je niet eens zien bukken.'
'U heeft helemaal niks gezien!' zei hij trots. 'U heeft me geen centimeter zien bewegen. En weet u waarom?'
'Ja,' zei ik. 'Omdat je fantastische vingers hebt.'
'Precies goed!' riep hij. 'U heeft het snel door, hè?' Hij leunde achterover, trok aan zijn zelfgemaakte sigaret en blies de rook in een dun stroompje tegen de voorruit. Hij wist dat hij diepe indruk op me gemaakt had met die twee trucs, en daar was hij tevreden over.
'Ik wil niet te laat komen,' zei hij. 'Hoe laat is het?'
'Er is een klok vlak voor je,' zei ik hem.
'Ik vertrouw die autoklokken niet,' zei hij. 'Hoe laat is het op uw horloge?'
Ik trok mijn mouw opzij om op mijn horloge te kijken. Het was er niet. Ik keek de man aan. Hij keek terug en grijnsde.
'Die heb je ook weggehaald,' zei ik. Hij stak zijn hand uit en daar

lag mijn horloge in de palm van zijn hand. 'Mooi stukje werk,' zei hij. 'Prima kwaliteit. Achttien karaats goud. Makkelijk van de hand te doen. Het is nooit moeilijk om kwaliteitsspul kwijt te raken.'
'Ik zou het graag terug hebben, alsjeblieft,' zei ik een beetje in mijn wiek geschoten.
Hij legde het horloge zorgvuldig op de leren rand voor hem.
'Ik pik heus niks van u, baas,' zei hij. 'U bent m'n gabber. U geeft mij een lift.'
'Ik ben blij 't te horen,' zei ik.
'Ik geef alleen antwoord op uw vraag,' ging hij verder. 'U vroeg me naar mijn vak en dat laat ik u zien.'
'Wat heb je nog meer van mij?'
Hij glimlachte weer en begon nu uit de zak van zijn jasje het ene ding na het andere te voorschijn te halen, allemaal van mij: mijn rijbewijs, een sleutelring met vier sleutels, een paar bankbiljetten, wat kleingeld, een brief van mijn uitgever, mijn agenda, een stompje potlood, een aansteker, en tenslotte een prachtige, antieke saffieren ring met pareltjes er omheen, die van mijn vrouw was. Ik had hem bij me om naar een juwelier in Londen te brengen, want een van de pareltjes ontbrak.
'Dat is nog eens een mooi dingetje,' zei hij terwijl hij de ring in zijn vingers liet ronddraaien. 'Achttiende-eeuws, als ik 't wel heb, uit de tijd van George de Derde.'
'Je hebt het goed,' zei ik onder de indruk. 'Je hebt het helemaal bij het rechte eind.'
Hij legde de ring op de leren rand bij de andere dingen.
'Dus je bent zakkenroller,' zei ik.
'Ik houd niet van dat woord,' antwoordde hij. 'Dat is een grof en gemeen woord. Zakkenrollers zijn grove en gemene mensen, die alleen simpele, amateuristische karweitjes opknappen. Ze pikken goud van blinde, ouwe dames.
'Hoe noem jij jezelf dan?'
'Ik? Ik ben een vingersmid. Ik ben een beroeps-vingersmid.' Hij sprak de woorden plechtig en trots uit, alsof hij me vertelde dat hij de president van het Koninklijke Chirurgengenootschap of de

Aartsbisschop van Canterbury was.
'Ik heb dat woord nog nooit eerder gehoord,' zei ik. 'Heb je dat zelf verzonnen?'
'Natuurlijk heb ik dat niet zelf verzonnen,' antwoordde hij. 'Dat is hoe de mensen genoemd worden die tot de hoogste top van het vak gekomen zijn. U heeft toch wel es gehoord van een goudsmid en een zilversmid en zo. Nou dat zijn experts met goud en zilver. Ik ben een expert met mijn vingers, dus ben ik een vingersmid!'
'Dat moet een boeiend vak zijn.'
'Het is een geweldig vak,' antwoordde hij. 'Een prachtvak.'
'En daarom ga je naar de paardenrennen?'
'Paardenrennen zijn makkies,' zei hij. 'Je hangt gewoon wat rond na de race en kijkt naar de bofferds die in de rij staan om hun gewonnen geld op te halen. En wanneer je iemand een grote stapel bankbiljetten bij zich ziet steken, ga je achter 'm aan en bedien je jezelf. Maar begrijp me goed, baas, ik neem geen cent van een verliezer. En van arme mensen ook niet. Ik neem alleen die mensen die het kunnen missen; de winnaars en de rijkelui.'
'Dat is mooi van je,' zei ik. 'Hoe vaak word je betrapt?'
'Betrapt?' riep hij verontwaardigd. 'Ik betrapt? Alleen zakkenrollers worden betrapt. Vingersmeden nooit. Man, ik zou uw gebit uit uw mond kunnen halen als ik zin had en nog zou u me niet betrappen!'
'Ik heb geen gebit,' zei ik.
'Dat weet ik wel,' antwoordde hij. 'Anders had ik 'm er al lang uit gehad.'
Ik geloofde hem. Die lange, slanke vingers van hem schenen alles te kunnen.
We reden een poosje zwijgend door.
'Die politieagent gaat jou heel precies natrekken,' zei ik. 'Zit je daar niet een beetje over in?'
'Niemand trekt mij na,' zei hij.
'Natuurlijk wel. Hij heeft je naam en je adres heel precies opgeschreven in zijn zwarte boekje.'
De man gaf mij nog een van die sluwe ratachtige glimlachjes.

'Aha,' zei hij, 'dat heeft ie gedaan maar ik wil wedden dat het niet meer in zijn geheugen gegrift staat. Ik ben nog nooit een smeris met een goed geheugen tegengekomen. Sommigen kunnen hun eigen naam nog niet eens onthouden.'
'Wat heeft zijn geheugen ermee te maken?' vroeg ik. 'Het staat toch in zijn boekje?'
'O, ja baas, dat wel. Maar het vervelende is dat hij zijn boekje kwijt is. Hij is allebei z'n boekjes kwijt, dat met mijn naam erin én dat met de uwe erin.'
In de lange, elegante vingers van zijn rechterhand hield hij triomfantelijk de twee boekjes die hij uit de zakken van de politieagent gepikt had. 'Simpelste karweitje dat ik ooit gedaan heb,' verklaarde hij trots.
Ik reed bijna op een melkwagen in, zo opgewonden was ik.
'Die smeris kan ons nu niks meer maken,' zei hij.
'Je bent een genie!' riep ik.
'Hij heeft geen namen, geen adressen, geen autonummers, niks heeft ie,' zei hij.
'Je bent weergaloos!'
'Ik denk dat u beter zo gauw mogelijk een zijweggetje in kan slaan,' zei hij. 'En dan stoken we een fikkie en verbranden deze boekjes.'
'Je bent een fantastische kerel,' riep ik uit.
'Bedankt baas,' zei hij. 'Het is altijd leuk om gewaardeerd te worden.'

Een aantekening bij de volgende geschiedenis

In 1946, meer dan dertig jaar geleden, was ik nog niet getrouwd en woonde ik thuis bij mijn moeder. Ik verdiende behoorlijk met het schrijven van twee verhalen per jaar. Over elk verhaal deed ik vier maanden en gelukkig waren er zowel hier als in het buitenland mensen die ze wilden kopen.

Op een morgen in april van dat jaar las ik in de krant over een opmerkelijke vondst van Romeins zilver. Het was vier jaar tevoren ontdekt door een boerenarbeider in de buurt van Mildenhall in het graafschap Suffolk, maar de ontdekking was om de een of andere reden tot nu toe geheim gehouden. Het kranteartikel zei dat het de grootste schat was die ooit in Engeland gevonden werd, en dat deze nu in het Brits Museum was. Als naam van de arbeider werd Gordon Butcher opgegeven.

Van ware verhalen over het vinden van echte grote schatten krijg ik altijd elektrische trillingen langs mijn benen, tot aan mijn voetzolen. Op het moment dat ik dat verhaal las, sprong ik op van mijn stoel zonder mijn ontbijt op te eten, riep mijn moeder goedendag en rende naar mijn auto. Die auto was een negen jaar oude Wolseley, die ik de 'Harde Zwarte Sluiper' noemde. Hij liep wel goed maar niet erg snel.

Mildenhall was ongeveer tweehonderd kilometer ver weg, een moeizame tocht dwars over het platteland via smalle kronkelweggetjes en laantjes. Ik kwam tussen de middag aan en door navraag te doen bij het plaatselijke politiebureau vond ik het kleine huisje waar Gordon Butcher woonde met zijn gezin. Hij zat thuis aan het middageten, toen ik op zijn deur klopte.

Ik vroeg hem of hij het niet vervelend zou vinden om met mij te praten over het vinden van de schat.

'Alsjeblieft niet,' zei hij. 'Ik heb mijn buik vol van journalisten. Ik wil de rest van mijn leven geen journalist meer zien.'

'Ik ben geen journalist,' vertelde ik hem. 'Ik schrijf verhalen en ik verkoop ze aan weekbladen. Die betalen daar goed voor.' Ik

zei verder nog dat, als hij me precies kon vertellen hoe hij de schat gevonden had, ik daar een waarheidsgetrouw verhaal van zou maken. En als ik dan het geluk had het te verkopen, zou ik de opbrengst met hem delen.
Ten slotte wilde hij wel met me praten. We zaten urenlang in zijn keukentje en hij vertelde mij een fascinerend verhaal. Toen hij klaar was ging ik op bezoek bij de andere man in deze zaak, een oude man, Ford genaamd. Ford wilde niet met me praten en gooide de deur voor mijn neus dicht. Maar toen had ik mijn verhaal al en ging ik op weg naar huis.
De volgende morgen ging ik naar het Brits Museum in Londen, om de schat die Gordon Butcher gevonden had te bekijken. Hij was wonderbaarlijk. Ik kreeg opnieuw van die trillingen, alleen al door er naar te kijken.
Ik schreef het verhaal zo waarheidsgetrouw als ik maar kon en stuurde het naar Amerika. Het werd gekocht door een blad dat *Saturday Evening Post* heette, en ik werd er goed voor betaald. Toen ik het geld kreeg, stuurde ik precies de helft naar Gordon Butcher in Mildenhall.
Een week later kreeg ik een brief van meneer Butcher, geschreven op een velletje dat uit een schoolschrift gescheurd moet zijn. Er stond: '... ik viel zowat om van verbazing toen ik uw cheque zag. Het was fantastisch. Ik dank u heel hartelijk...'
Hier is het verhaal, bijna net zoals het dertig jaar geleden geschreven is. Ik heb het haast niet veranderd. Ik heb alleen maar de wat al te bloemrijke stukken een beetje eenvoudiger weergegeven en er een aantal overbodige bijvoeglijke naamwoorden en onnodige zinnetjes uit gehaald.

De schat van Mildenhall

Om een uur of zeven 's morgens stond Gordon Butcher op en deed het licht aan. Hij liep op blote voeten naar het raam, trok de gordijnen open en keek naar buiten.
Het was januari en het was nog donker, maar hij kon wel zien dat het niet gesneeuwd had 's nachts.
'Wat een wind,' zei hij hardop tegen zijn vrouw, 'hoor toch eens wat een wind.'
Zijn vrouw kwam nu ook uit bed, ging naast hem bij het raam staan en samen luisterden ze zwijgend naar het suizen van de ijzige wind, die over de vlakke velden kwam aanstormen.
''t Is een noordooster,' zei hij.
'Er zal vast sneeuw vallen voor de avond,' vertelde ze hem. 'En een flink pak ook.'
Ze was eerder aangekleed dan hij, ging de kamer ernaast binnen, boog zich over het bedje van haar zes jaar oude dochtertje en gaf haar een zoen. Ze riep goedemorgen tegen de twee oudere kinderen in de derde kamer en daarna ging ze naar beneden om het ontbijt klaar te maken.
Om kwart voor acht deed Gordon Butcher zijn jas en zijn leren handschoenen aan, zette zijn pet op en ging de achterdeur uit, de bitterkoude winterochtend in. Terwijl hij door de schemering naar de schuur liep waar zijn fiets stond, sneed de wind als een mes over zijn wangen. Hij duwde de fiets naar buiten, stapte op en begon midden op het smalle weggetje dwars tegen de storm in te trappen.
Gordon Butcher was achtendertig. Hij was geen gewone landarbeider. Hij hoefde van niemand tegen zijn zin orders aan te nemen. Hij bezat zijn eigen trekker en daarmee ploegde hij andermans akkers en haalde andermans oogsten binnen onder contract. Zijn gedachten hielden zich alleen met zijn vrouw, zijn zoon en zijn twee dochtertjes bezig. Zijn kapitaal bestond uit zijn kleine huisje, zijn twee koeien, zijn trekker en zijn bekwaamheid als ploeger.

Gordon Butchers hoofd was eigenaardig gevormd: zijn achterhoofd stak uit als de punt van een enorm ei, zijn oren stonden ver van zijn hoofd en hij miste een voortand aan de linkerkant. Maar niets van dit alles scheen iets uit te maken wanneer je hem tegenkwam in de openlucht. Hij keek je aan met rustige blauwe ogen zonder enige valsheid, sluwheid of hebberigheid. En de mond had niet die bittere lijntjes om de hoeken, die je zo vaak ziet bij mensen die op het land werken en hun dagen doorbrengen met vechten tegen de weersomstandigheden.
Zijn enige eigenaardigheid, die hij vrolijk toegaf wanneer je hem er naar vroeg, was dat hij hardop in zichzelf praatte als hij alleen was. Die gewoonte, zei hij, kwam eenvoudig voort uit het feit, dat het soort werk dat hij deed met zich meebracht dat hij zes dagen per week, tien uur per dag alleen was.
'Het houdt me gezelschap,' zei hij, 'om zo nu en dan mijn eigen stem te horen.'
Hij fietste de weg af, hard trappend tegen de felle wind.
'Goed dan,' zei hij. 'Goed dan, blaas eens een beetje. Kan jij niet harder dan dit? Hemeltje lief, ik merk nauwelijks dat je er bent vanmorgen!' De wind loeide om hem heen, rukte aan zijn jas en perste zich door de poriën van de dikke wol heen, door zijn jasje daaronder, door zijn overhemd en zijn hemd en raakte zijn blote huid met een ijzige vingertop. 'Nee maar,' zei hij, 'je lijkt wel lauw vandaag. Je zult heel wat beter je best moeten doen als je mij aan 't rillen wilt maken.'
En nu loste de duisternis zich op in het bleekgrijze ochtendlicht en kon Gordon Butcher de dikke wolken aan de hemel vlak boven zijn hoofd zien, die door de wind voortgejaagd werden. Blauwgrijze wolken waren het, met hier en daar zwarte vlekken, een dichte massa van horizon tot horizon, die voortgestuwd door de wind over zijn hoofd voorbijgleed als een grote, grijze metalen plaat. Om hem heen lag het grauwe, eenzame laagland van Suffolk, dat zich kilometer na kilometer uitstrekte zonder dat er een eind aan leek te komen.
Hij trapte verder. Hij reed door de buitenwijk van het kleine stadje

Mildenhall en sloeg de weg in naar het dorpje West Row, waar het land lag van de man, die Ford heette.
Hij had zijn trekker de vorige dag bij Ford laten staan, omdat zijn volgende karwei bestond uit het omploegen van een stuk land van bijna twee hectare op Thistley Green, voor Ford. Het was niet Fords eigen land. Dat is belangrijk om te onthouden, maar Ford was wel degene die hem gevraagd had dat karwei te doen.
In feite was het land van een boer die Rolfe heette.
Rolfe had Ford gevraagd het om te ploegen omdat Ford, net als Gordon Butcher, voor anderen ploegde. Het verschil tussen Ford en Gordon Butcher was dat Ford het op wat grotere schaal deed. Hij was een vrij welgestelde loonploeger en loonoogster, met een mooi huis en een groot erf vol schuren gevuld met combines en andere landbouwgereedschappen en machines. Gordon Butcher had alleen maar die ene trekker.
Voor deze gelegenheid had Ford Gordon Butcher gehuurd om de akker te ploegen, omdat hij het daarvoor zelf te druk had toen Rolfe hem vroeg.
Er was niemand op het erf van Ford toen Butcher er aankwam. Hij zette zijn fiets neer, vulde zijn trekker met paraffine en benzine, liet de motor warmlopen, haakte de ploeg er achter, beklom de hoge zitplaats en reed naar Thistley Green.
Het land lag nog geen kilometer verderop en omstreeks half negen reed Butcher zijn trekker door het hek de akker op. Thistley Green was misschien alles bij elkaar zo'n veertig hectare, met een lage heg er omheen. Maar hoewel het in feite één grote akker was, behoorden verschillende stukken aan verschillende eigenaars. Deze verschillende stukken waren gemakkelijk uit elkaar te houden, omdat ze allemaal op hun eigen wijze bebouwd werden. Rolfe's stuk van twee hectare lag aan de zijkant bij de zuidgrens. Butcher wist waar het lag en hij reed met zijn trekker langs de rand van de akker en toen midden door, tot hij bij het stuk land kwam.
Op het land was gerst verbouwd geweest en het lag vol met de korte, rottende gele resten van de gerst die in de afgelopen herfst geoogst en pas kort geleden afgesneden was, zodat het land nu klaar

lag om geploegd te worden.
'Diep ploegen,' had Ford de vorige dag tegen Butcher gezegd. 'Het is voor suikerbieten. Rolfe gaat daar suikerbieten telen.'
Voor gerst ploegen ze maar tien centimeter diep, maar voor suikerbieten ploegen ze dieper, wel vijfentwintig à dertig centimeter. Een ploeg met een paard ervoor kan zo diep niet ploegen. Het was pas sinds de invoering van de motortrekkers dat de boeren echt goed diep konden ploegen. Rolfe's land was een paar jaar terug al een keer diep geploegd voor suikerbieten, maar dat was niet door Butcher gedaan; het karwei was dan ook zo goed als zeker met de Franse slag verricht en de ploeger was vast niet zo diep gegaan als hij had moeten doen. Had hij dat wel gedaan, dan was wat er die dag zou gebeuren waarschijnlijk veel eerder gebeurd, en dan was dit een heel ander verhaal geweest.
Gordon Butcher begon te ploegen. Op en neer ging hij de akker over, elke keer de ploeg wat lager en lager, tot hij uiteindelijk dertig centimeter diep de grond doorsneed en een gladde, egale golf van zwarte aarde achter zich opwierp.
De wind joeg nu met nog grotere snelheid van de moordende zee over de vlakke velden van Norfolk, voorbij Saxthorpe, Reepham, Honingham, Swaffham en Larling, over de grens Suffolk in, naar Mildenhall en Thistley Green, waar Gordon Butcher rechtop boven op de stoel van zijn trekker zat en heen en weer reed over het landje met de gerststoppels, dat van Rolfe was. Gordon Butcher kon de scherpe, frisse geur van sneeuw al ruiken; die kon niet zo ver meer weg zijn. Hij zag het lage wolkendek niet langer met zwarte vlekken maar bleek en witgrijs over zijn hoofd voorbijglijden als een afrollende blikken plaat.
'Nou, nou,' zei hij, zijn stem boven het geratel van de trekker verheffend. 'Jij moet kwaad op iemand zijn. Wat een allemachtige heisa met al jouw gewaai en geloei en gevries. Je lijkt wel een vrouw,' voegde hij eraan toe, 'precies zoals een vrouw wel eens te keer gaat, 's avonds.' En hij hield zijn blik op de lijn van de voor en glimlachte.
Tussen de middag stopte hij de trekker, sprong eraf en viste zijn

brood uit zijn zak. Daarmee ging hij in de luwte van de trekker zitten. Hij at grote stukken brood en hele kleine stukjes kaas. Hij had niets te drinken, want zijn enige thermosfles was twee weken geleden gebroken door het hotsen van de trekker, en in de oorlog – het was januari 1942 – kon je nergens meer een nieuwe krijgen. Ongeveer een kwartier zat hij op de grond in de beschutting van het wiel en at zijn brood op. Toen stond hij op en inspecteerde de houten pin.

In tegenstelling tot de meeste ploegers maakte Butcher altijd zijn ploeg aan de trekker vast met een houten pin zodat, als de ploeg op een wortel of een grote steen stootte, de pin zou breken en de ploeg achterbleef zonder dat de messen beschadigd werden. Overal in het zwarte moerassige laagland liggen vlak onder de oppervlakte enorme stronken van oude eiken, en een houten pin zal daar heel wat keer per week de redding van de ploeg betekenen. Hoewel Thistley Green goed bouwland was, akkerland, geen moerasland, nam Butcher toch geen risico met zijn ploeg.

Hij inspecteerde de pin, vond alles in orde, stapte op de trekker en ging door met ploegen.

De trekker neusde heen en terug over de grond en liet een gladde zwarte golf van aarde achter zich. Nog kouder werd de wind, maar het sneeuwde nog niet.

Omstreeks drie uur gebeurde het.

Er was een korte ruk, de houten pin brak en de trekker liet de ploeg achter zich. Butcher remde, sprong eraf en liep naar de ploeg om te zien wat ie geraakt had. Het was nogal verbazingwekkend dat dit gebeurde op bouwland. Er hoorden hier geen eiken stronken onder de grond te zijn.

Hij knielde neer naast de ploeg en begon de aarde rond de messen weg te halen. Het laagste punt van de messen zat dertig centimeter diep. Er was een heleboel aarde weg te halen. Hij groef met zijn handschoenen in de aarde en gooide haar met handenvol weg. Vijftien centimeter diep... twintig centimeter... vijfentwintig centimeter... dertig. Hij gleed met zijn vingers langs het mes van de ploeg tot hij het verste punt bereikt had. De aarde was los en korrelig en gleed steeds weer terug in het gat dat hij gemaakt had. Daardoor kon hij het diepste punt van de ploeg niet zien. Hij kon het alleen maar voelen. En nu voelde hij dat de punt inderdaad tegen iets hards aan zat. Hij groef nog meer aarde weg. Hij maakte het gat groter. Hij moest goed kunnen zien wat voor obstakel hij geraakt had. Als het vrij klein was zou hij het misschien met zijn handen uit kunnen graven en met het karwei doorgaan. Als het een boomstronk was zou hij naar Ford terug moeten om een schop te halen. 'Vooruit,' zei hij hardop. 'Ik krijg je er wel uit, jij verborgen duivel, jij rottig oud ding.' En plotseling, toen de vingers in de handschoenen een laatste handvol zwarte aarde wegschraapten, zag hij de ronde rand van iets – zo iets als de rand van een enorm dikke schotel – wat uit de aarde omhoogstak. Hij wreef met zijn vinger langs de rand en wreef nog eens. Toen zag hij plotseling een glimp van groen op de rand; Gordon Butcher boog zijn hoofd nog dichter en dichter er naar toe en tuurde in het kuiltje dat hij met zijn handen gegraven had. Nog een laatste keer wreef hij de rand schoon met zijn vingers en in een flits zag hij duidelijk de blauwgroene korst van oud begraven metaal, en zijn hart stond stil.

Hier moet even uitgelegd worden dat boeren in dit gedeelte van Suffolk, vooral in de buurt van Mildenhall, al jarenlang oude voorwerpen uit de grond halen. Stenen pijlpunten van heel erg lang geleden zijn er in grote hoeveelheden gevonden, maar, interessanter nog, ook Romeinse potten en Romeinse gereedschappen zijn ontdekt. Het is bekend dat de Romeinen tijdens hun bezetting van Engeland bij voorkeur hier verbleven en alle plaatselijke boeren weten dan ook dat ze de kans hebben iets interessants te vinden tijdens hun dagelijks werk.

De mensen van Mildenhall waren zich dus steeds bewust van de mogelijke aanwezigheid van schatten in de aarde van hun land.

De reactie van Gordon Butcher, toen hij de rand van die enorme schotel zag, was eigenaardig. Hij trok ogenblikkelijk zijn handen terug. Toen stond hij op en keerde zich af van wat hij zojuist gezien had. Hij nam alleen nog de tijd om de motor van zijn trekker af te zetten, voor hij vlug wegliep in de richting van de weg.

Hij wist niet precies wat hem ertoe bracht op te houden met graven en weg te lopen. Hij zal je vertellen, dat het enige wat hij zich kan herinneren van die paar eerste seconden een vleugje gevaar was, afkomstig van dat kleine plekje blauwgroen. Op het moment dat hij het aanraakte met zijn vingers, ging er zo iets als een elektrische schok door hem heen en kreeg hij een sterk voorgevoel dat dit iets was wat de gemoedsrust en het geluk van vele mensen zou kunnen verwoesten.

In het begin was het enige wat hij wilde weggaan, het achterlaten en er niets meer mee te maken hebben. Maar zo'n honderd meter verder begon hij langzamer te lopen. Bij het hek van Thistley Green stond hij stil.

'Wat is er in vredesnaam met jou aan de hand, meneer Gordon Butcher?' vroeg hij hardop in de loeiende wind. 'Ben je soms bang of zo? Nee, bang ben ik niet. Maar om eerlijk te zijn voel ik er niet zoveel voor om dit zaakje alleen aan te pakken.'

Toen dacht hij aan Ford.

In de eerste plaats omdat hij voor hem aan 't werk was. Vervolgens dacht hij aan hem omdat hij wist, dat Ford een soort verzamelaar was van oude spullen, van al die oude stenen en pijlpunten die mensen in de buurt van tijd tot tijd opgroeven, die ze naar Ford brachten en die Ford op zijn schoorsteenmantel in de salon legde. Men geloofde dat Ford die dingen wel verkocht, maar niemand wist hoe hij dat deed en het kon ook niemand schelen.

Gordon Butcher ging naar Ford. Snel door het hek de smalle weg op, door de scherpe bocht naar links en zo naar het huis. Hij trof Ford in zijn grote schuur gebogen over een kapotte eg, die hij aan het repareren was. Butcher bleef bij de deur staan en zei: 'Meneer Ford!'

Ford keek om zonder overeind te komen.

'Hallo Gordon,' zei hij. 'Wat is er?'

Ford was van middelbare leeftijd of een beetje ouder, met een kaal hoofd, een lange neus en een slimme vosachtige uitdrukking op zijn gezicht. Zijn mond was dun en zuur en wanneer hij je aankeek en je de zuinige mond en de dunne, zure lijn van zijn lippen zag,

dan wist je dat dit een mond was waar nooit een glimlach op kwam. Zijn kin week terug, zijn neus was lang en puntig en hij gaf de indruk van een sluwe, verzuurde oude vos in het bos.
'Wat is er?' vroeg hij opkijkend van de eg.
Gordon Butcher stond bij de deur, met blauwe wangen van de kou, buiten adem zijn handen langzaam tegen elkaar te wrijven.
'De trekker heeft de ploeg verloren,' zei hij rustig. 'Er zit metaal in de grond. Ik heb 't gezien.'
Fords hoofd kwam met een ruk omhoog. 'Wat voor soort metaal?' vroeg hij scherp.
'Plat. Heel plat, zo iets als een soort enorme schotel.'
'Heb je het niet uitgegraven?' vroeg Ford. Hij was nu overeind gekomen en een roofzuchtige glinstering blonk in zijn ogen.
Butcher zei: 'Nee, ik heb het zo gelaten en ben direct hier gekomen.'
Ford liep snel naar de hoek en pakte zijn jas van een spijker. Hij zocht een pet en handschoenen op, daarna pakte hij een schop en liep naar de deur. Er was iets vreemds in Butchers manier van doen, merkte hij op.
'Weet je zeker dat het metaal was?'
'Helemaal verroest,' zei Butcher, 'maar het was beslist metaal.'
'Hoe diep?'
'Dertig centimeter. Dat wil zeggen, het bovenstuk zat dertig centimeter diep. De rest zit dieper.'
'Hoe weet je dat het een schotel was?'
'Dat weet ik niet,' zei Butcher. 'Ik zag alleen een stukje van de rand. Maar het gaf me de indruk van een schotel. Een enorme schaal.'
Fords vossegezicht werd bepaald bleek van opwinding.
'Kom mee,' zei hij. 'We gaan terug om te kijken.'
De beide mannen liepen de schuur uit, de venijnige, steeds feller wordende stormwind in. Ford rilde.
'Dat verdomde rotweer,' zei hij. 'Dat verdomde, smerige, ijzige rotweer.' Hij trok zijn puntige vossegezicht zo diep mogelijk in de kraag van zijn jas en begon te speculeren over de mogelijkheden van Butchers vondst.

Ford wist iets wat Butcher niet wist. Hij wist dat in 1932 een man, Lethbridge, die professor was in de Angelsaksische oudheidkunde aan de universiteit van Cambridge, opgravingen had gedaan in de buurt en dat hij zelfs daar, op Thistley Green de fundamenten van een Romeinse villa had blootgelegd. Dat was Ford bepaald niet vergeten en hij versnelde zijn pas. Butcher liep zwijgend naast hem en al gauw waren ze er. Ze gingen door het hek, over de akker naar de ploeg, die een meter of tien achter de trekker stond.
Ford knielde neer bij de voorkant van de ploeg en tuurde in het kuiltje dat Gordon Butcher met zijn handen gemaakt had. Met een gehandschoende vinger raakte hij de rand van blauwgroen metaal aan. Hij schraapte nog wat aarde weg. Hij leunde nog verder voorover, zodat zijn puntige neus in het gat verdween. Hij liet zijn vingers over het ruwe groenige oppervlak glijden. Toen stond hij op en zei: 'Laten we die ploeg weghalen en gaan graven.' Al leek zijn hoofd vol ontploffend vuurwerk te zitten en liepen ijskoude rillingen langs zijn rug, toch wist Ford zijn stem zacht en nonchalant te houden.
Samen trokken ze de ploeg een paar meter naar achteren.
'Geef de schop es aan,' zei Ford en voorzichtig begon hij de aarde weg te scheppen in een cirkel van ongeveer een meter rondom het uitstekende stukje metaal. Toen de kuil ruim een halve meter diep was, gooide hij de schop weg en gebruikte zijn handen. Hij knielde neer en schraapte de aarde weg, en langzamerhand werd het stukje metaal groter en groter, tot ten slotte de grote ronde schijf van een enorme schaal voor hen lag. Hij had een middellijn van zeker zestig centimeter. Het laagste puntje van de ploeg had nog net de uitstekende middenrand van de schaal geraakt, want je kon de deuk zien zitten.
Voorzichtig tilde Ford hem uit de kuil. Hij stond op, veegde de aarde eraf en draaide hem rond en rond in zijn handen. Veel was er niet aan te zien, want het hele oppervlak was bedekt met een dikke harde groenig-blauwe korst. Maar hij wist dat het een enorme schaal of schijf was, heel zwaar en massief. Hij woog wel tien kilo!
Ford stond op de akker met de gele gerststoppels en staarde naar

de reusachtige schaal. Zijn handen begonnen te trillen. Een geweldige, bijna ondraaglijke opwinding begon zich van hem meester te maken en het was geen gemakkelijke opgave die te verbergen. Maar hij deed zijn best.

'Een soortement schotel,' zei hij.

Butcher lag op zijn knieën naast de kuil. 'Moet behoorlijk oud zijn,' zei hij.

'Dat zou kunnen,' zei Ford, 'maar hij is helemaal verroest en weggevreten.'

'Dat lijkt mij geen gewone roest,' zei Butcher. 'Dat groene spul is geen roest. Dat is wat anders...'

'Het is groene roest,' zei Ford uit de hoogte, en daarmee was de discussie gesloten.

Butcher, die nog steeds op z'n knieën lag, woelde wat rond in de kuil, die nu een meter groot was. 'Hier zit er nog een,' zei hij.

Ogenblikkelijk legde Ford de grote schijf op de grond. Hij knielde naast Butcher en binnen een paar minuten hadden ze een tweede grote groenige schotel te voorschijn gehaald. Deze was ietsje kleiner dan de eerste en holler. Meer een kom dan een schotel.

Ford stond op en hield de nieuwe vondst in zijn handen. Weer zo'n zware. En nu wist hij zeker dat ze een absoluut grandioze ontdekking gedaan hadden. Het was een Romeinse schat, en bijna zonder enige twijfel van puur zilver. Twee dingen duidden op puur zilver. Ten eerste het gewicht en ten tweede die speciale soort groene korst die het gevolg is van oxydatie.

Hoe vaak wordt er ter wereld een stuk Romeins zilver ontdekt? Bijna nooit meer. En waren er ooit eerder zulke grote stukken opgegraven?

Ford wist het niet zeker, maar hij betwijfelde het ten zeerste.

Het moest miljoenen waard zijn.

Letterlijk miljoenen guldens waard zijn.

Zijn snelle adem maakte kleine witte wolkjes in de vrieskou.

'D'r zit nog meer hier, meneer Ford,' zei Butcher. 'Ik voel overal kleine stukjes. U zult de schop weer nodig hebben.'

Het derde stuk was nog zo'n grote schaal, enigszins gelijk aan de

eerste. Ford legde hem op de gerststoppels bij de andere twee.
Toen voelde Butcher de eerste sneeuwvlok op zijn wang, hij keek op en zag in het noordoosten een groot wit gordijn langs de hemel, een massieve muur van sneeuw, die voortgedreven werd op de vleugels van de wind.
'Daar zal je 't hebben!' zei hij. Ford keek op, zag de sneeuw op hen afkomen en zei: 'Een sneeuwstorm. Het is een vuile, gore sneeuwstorm!'
De beide mannen staarden naar de sneeuwstorm die over de moerassen op hen af stormde. Daar was hij al, en overal om hen heen waren sneeuw en sneeuwvlokken, witte wind met jagende sneeuwvlokken in ogen en oren en mond en langs de nek en overal in het rond. En toen Butcher een paar seconden later op de grond keek was het al helemaal wit.
'Dat is wat we nou net nodig hebben,' zei Ford. 'Een vuile, rottige sneeuwstorm,' en hij rilde en trok zijn vossegezicht nog dieper in de kraag van zijn jas. 'Vooruit,' zei hij, 'kijk of er nog meer ligt.'
Butcher knielde weer neer en woelde rond in de aarde. Toen, op de langzame, nonchalante wijze van iemand die iets uit een grabbelton opvist, trok hij nog een schotel tevoorschijn en reikte hem Ford aan. Ford pakte hem aan en legde hem bij de andere drie. Nu knielde Ford naast Butcher en begon ook in de grond te wroeten.
Een heel uur bleven de beide mannen daar graven en schrapen in dat één meter brede stukje grond. En in dat uur vonden ze en legden ze naast zich op de grond *niet minder dan vierendertig verschillende voorwerpen!* Er waren schotels, kommen, bekers, lepels, opscheplepels en nog verscheidene andere dingen, allemaal met een dikke korst er omheen, maar stuk voor stuk herkenbaar. En al die tijd raasde de sneeuwstorm om hen heen en hoopte de sneeuw zich op, op hun petten en hun schouders. En de vlokken smolten op hun gezichten, zodat stroompjes ijswater hun nek in liepen. Een grote druppel halfbevroren vloeistof bungelde voortdurend aan het puntje van Fords lange neus, als een sneeuwklokje.
Ze werkten in stilte. Het was te koud om te praten. En al die kostbare

voorwerpen die een voor een naar boven werden gehaald, werden door Ford zorgvuldig in rijen op de grond gelegd. Zo nu en dan hield hij even op om de sneeuw van een schotel of lepel af te vegen, wanneer ze totaal onder de sneeuw dreigden te verdwijnen.
Uiteindelijk zei Ford: 'Dat is alles wel, denk ik.'
'Ja.'
Ford stond op en stampte met zijn voeten op de grond. 'Heb je een zak in de trekker?' vroeg hij en terwijl Butcher de zak ging halen, draaide hij zich om en bekeek de vierendertig voorwerpen die aan zijn voeten lagen. Hij telde ze opnieuw. Als het zilver was, en dat moest het wel zijn, en als het Romeins was, wat het ongetwijfeld was, dan was dit een ontdekking die de wereld op zijn grondvesten zou doen schokken.
Butcher riep hem vanuit de trekker toe: 'Het is wel een vieze ouwe zak.'
'Die is goed genoeg.'
Butcher bracht de zak en hield hem open, terwijl Ford voorzichtig alle voorwerpen er in deed. Ze konden er allemaal in, op één na. De massieve zestig centimeter brede schaal was te groot.
De twee mannen waren nu door en door koud. Meer dan een uur hadden ze op hun knieën rondgewroet op die onbeschutte akker, terwijl er een sneeuwstorm om hen heen woedde. Er lag nu al bijna vijftien centimeter sneeuw. Butcher was halfbevroren. Zijn wangen waren spierwit met blauwe vlekken, zijn voeten waren zo gevoelloos als hout, en toen hij zijn benen bewoog kon hij de grond niet onder zijn voeten voelen. Hij was veel kouder dan Ford. Zijn jas en zijn kleren waren niet zo dik en al van de vroege morgen af had hij daar boven op zijn trekker gezeten, overgeleverd aan de bitterkoude wind. Zijn blauwwitte gezicht was strak en onbeweгelijk. Hij wilde nog maar één ding, en dat was naar huis gaan, naar zijn gezin en het vuur dat naar hij wist in de haard brandde.
Ford daarentegen dacht niet aan de koude. Zijn hoofd hield zich maar met een enkel ding bezig: hoe in het bezit te komen van deze fabelachtige schat. Zijn positie was – dat wist hij heel goed – niet bepaald sterk.

In Engeland is een heel eigenaardige wet voor het vinden van wat voor soort gouden of zilveren schatten ook. Die wet is honderden jaren oud en is vandaag de dag nog van kracht. Die wet zegt dat, als iemand iets van metaal uit de grond opgraaft – een stuk metaal van goud of zilver, al is het in zijn eigen tuin – dat het dan automatisch 'een schat' wordt en eigendom van de kroon. Tegenwoordig betekent de kroon niet meer de koning of de koningin. Het betekent het land of de staat. De wet zegt ook, dat het een misdaad is om een dergelijke vondst te verbergen. Het is gewoon niet toegestaan dat je de boel verstopt en zelf houdt. Je moet het onmiddellijk aangeven, bij voorkeur bij de politie. En als je het onmiddellijk aangeeft, dan heb jij als vinder er recht op het volle bedrag dat dat voorwerp waard is van de staat te ontvangen. Voorwerpen van andere metalen hoef je niet aan te geven. Je kunt zoveel waardevol tin, brons, koper of zelfs platina opgraven als je maar wilt, en je mag het allemaal houden, maar geen goud of zilver.

Een ander eigenaardig ding van deze wet is dit: het is degene die de schat in eerste instantie *ontdekt,* die de beloning van de staat krijgt. De eigenaar van de grond krijgt niets, tenzij de vinder zich bij zijn ontdekking op verboden terrein bevindt. Maar als de vinder van de schat gehuurd is door de eigenaar om op zijn land te werken, dan krijgt hij, de vinder, de hele beloning.

In dit geval was Gordon Butcher de vinder. Bovendien bevond hij zich niet op verboden terrein. Hij deed het werk waar hij voor gehuurd was. De schat kwam daarom aan Butcher toe en aan niemand anders. Het enige wat hij hoefde te doen was ermee naar een deskundige gaan, die onmiddellijk zou zien dat het zilver was en het bij de politie zou aangeven. Na verloop van tijd zou hij van de staat de volle waarde uitgekeerd krijgen, misschien wel tien miljoen gulden.

Door dit alles stond Ford in de kou, en dat wist Ford. Wettelijk had hij geen enkel recht op de schat. Daarom, moet hij toen tegen zichzelf gezegd hebben, lag zijn enige kans om de schat zelf te houden in het feit dat Butcher niets van die wet afwist en bovendien geen flauw idee had van de waarde van zijn vondst. Waarschijnlijk

zou hij met een paar dagen de hele zaak vergeten zijn. Hij was een te eenvoudige geest, te recht door zee, te goed van vertrouwen en te onzelfzuchtig om zich lang met de zaak bezig te houden.
Nu boog Ford zich daar op die verlaten besneeuwde akker voorover en pakte de grote schotel vast met een hand. Hij zette hem rechtop maar tilde hem niet omhoog. De onderste rand bleef op de sneeuw rusten. Met zijn andere hand greep hij de zak. Ook die tilde hij niet op. Hij hield hem alleen maar vast. En daar stond hij nu, voorover in de warrelende sneeuwvlokken met twee handen de schat als het ware omarmend, zonder hem in feite in bezit te nemen. Het was een subtiel en leep gebaar. Hij slaagde erin daarmee eigendom te suggereren zonder dat er een woord over eigendom gewisseld was. Een kind speelt datzelfde spelletje, wanneer hij zijn hand uitsteekt en zijn vuist sluit om het grootste koekje op de schaal en vraagt: 'Mag ik die, mam?' Hij heeft hem al.
'Nou Gordon,' zei Ford, met de zak en de schaal in zijn handen. 'Jij wilt vast niks van deze ouwe spullen.'
Het was geen vraag. Het was een mededeling in de vorm van een vraag.
De sneeuwstorm woedde nog steeds. De sneeuw viel zo dicht dat de mannen elkaar nauwelijks konden zien.
'Je moet maar gauw naar huis gaan, naar de warmte,' zei Ford. 'Je ziet er stijfbevroren uit.'
'Ik voel me ook stijfbevroren,' zei Butcher.
'Spring dan maar gauw op je trekker en snel naar huis,' zei de attente, goedhartige Ford. 'Laat de ploeg maar hier en je fiets bij mij. Het is nu veel belangrijker gauw thuis te komen in de warmte, voordat je longontsteking krijgt.'
'Ik denk dat ik dat maar doe, meneer Ford,' zei Butcher. 'Kunt u die zak wel dragen? Hij is zo allemachtig zwaar.'
'Misschien houd ik het wel voor gezien vandaag,' zei Ford achteloos. 'Ik laat 'm misschien maar gewoon hier en haal 'm wel een andere keer op. Roestig oud spul.'
'Tot ziens dan, meneer Ford.'
'Dag, Gordon.'

Gordon Butcher klom op de trekker en reed weg in de sneeuwstorm.
Ford sjorde de zak over zijn schouder en tilde toen niet zonder moeite de massieve schaal op met zijn andere hand en klemde hem onder zijn arm.
'Wat ik nu draag,' zei hij tegen zichzelf door de sneeuw sjokkend, 'wat ik nu draag is waarschijnlijk de grootste schat die ooit in de hele geschiedenis van Engeland is opgegraven.'
Toen Gordon Butcher laat in de middag stampend en blazend door de achterdeur van zijn bakstenen huisje naar binnen kwam, stond zijn vrouw bij het vuur te strijken. Ze keek op en zag zijn blauwwitte gezicht en zijn besneeuwde kleren.
'Lieve hemel, Gordon, je ziet er halfbevroren uit,' riep ze.
'Ben ik ook,' zei hij. 'Help es een handje met deze kleren, lieverd, mijn vingers willen niet meer.'
Ze trok zijn handschoenen uit, zijn jas en zijn natte overhemd. Ze trok zijn laarzen en zijn sokken van zijn voeten. Ze haalde een handdoek en wreef hard over zijn borst en zijn rug, om zijn bloedsomloop weer op gang te brengen. Ze wreef zijn voeten.
'Ga bij het vuur zitten,' zei ze. 'Dan zal ik een kop hete thee voor je halen.'
Later, toen hij behaaglijk in de warmte zat met droge kleren aan en de mok thee in zijn hand, vertelde hij haar wat er die middag gebeurd was.
'Dat is een sluwe vos, die meneer Ford,' zei ze zonder van de strijkplank op te kijken. 'Die heb ik nooit gemogen.'
'Hij was er knap opgewonden van, dat kan ik je wel vertellen,' zei Gordon Butcher. 'Zo zenuwachtig als een juffershondje, dat was ie.'
'Dat kan wel zijn,' zei ze, 'maar jij had beter moeten weten dan op handen en voeten rondkruipen in zo'n ijzige sneeuwstorm, alleen omdat meneer Ford het zei.'
'Met mij is alles in orde,' zei Gordon Butcher. 'Ik begin al lekker warm te worden.'
En dat, of je het gelooft of niet, was zo ongeveer de laatste keer

in jaren dat de schat ter sprake kwam in het huis van Butcher.
De lezer moet hierbij wel bedenken dat het oorlog was, 1942. Engeland werd totaal in beslag genomen door de wanhopige oorlog tegen Hitler en Mussolini. Duitsland bombardeerde Engeland en Engeland bombardeerde Duitsland, en bijna elke nacht hoorde Gordon Butcher het brullen van motoren van het grote vliegveld bij het naburige Mildenhall, wanneer de bommenwerpers opstegen op weg naar Hamburg, Berlijn, Kiel, Wilhelmshafen of Frankfort. Soms werd hij vroeg in de morgen wakker en hoorde ze terugkomen, en soms vlogen de Duitsers over om het vliegveld te bombarderen; dan schudde het huis van het gedender en gedreun van dichtbij vallende bommen.
Butcher zelf was vrijgesteld van militaire dienst. Hij was boer, een kundig ploeger en ze hadden hem toen hij in 1939 dienst wilde nemen, gezegd dat ze hem niet wilden hebben. De voedselvoorraden van het eiland moesten op peil gehouden worden, hadden ze gezegd, en het was van levensbelang dat mensen zoals hij aan hun werk bleven en het land bleven bebouwen.
Ford, die hetzelfde soort werk deed, was ook vrijgesteld. Hij was vrijgezel en woonde alleen; zo kon hij een geheim leven leiden en geheime dingen doen binnen de vier muren van zijn huis.
En dus sjouwde Ford de schat die zij opgegraven hadden op die verschrikkelijke middag in de sneeuwstorm, naar huis en stalde alles uit op een tafel in zijn achterkamer.
Vierendertig verschillende voorwerpen! De hele tafel lag vol. En zo te zien waren ze in uitstekende staat. Zilver roest niet. De groene korst van oxydatie kan zelfs een beschermende laag vormen voor de oppervlakte van het metaal eronder. En dat kon er allemaal af als je het voorzichtig deed.
Ford besloot gewone huishoudzilverpoets, Silvo, te gebruiken en kocht er een heleboel van bij een ijzerhandel in Mildenhall. Toen nam hij als eerste de zestig centimeter grote schaal, die bijna tien kilo woog. Hij werkte er 's avonds aan. Hij zette hem helemaal in de Silvo. Hij wreef en hij wreef. Hij werkte geduldig aan deze ene schaal, iedere avond gedurende meer dan zestien weken.

Ten slotte verscheen er op een gedenkwaardige avond een klein plekje glanzend zilver onder zijn wrijven, en op dat plekje zag hij in reliëf het prachtig gevormde deel van een mannenhoofd.
Hij werkte door en langzamerhand werd het plekje glanzend metaal al groter en groter en week de blauwgroene korst steeds verder naar de randen, tot uiteindelijk de bovenkant van de grote schaal in zijn volle glorie voor hem lag, helemaal overdekt met een wonderbaarlijk patroon van dieren en allerlei vreemde legendarische dingen.
Ford stond versteld over de schoonheid van de grote schaal. Die was vol leven en beweging. Er was een woeste kop met warrig haar, een dansende geit met een mensenhoofd, er sprongen mannen en vrouwen en dieren van allerlei soorten rond op de rand, die ongetwijfeld allemaal een verhaal vertelden.
Daarna begon hij de achterkant van de schaal schoon te maken. Het kostte weken en weken. En toen het klaar was en de grote schaal aan beide kanten glinsterde als een ster, borg hij hem veilig op in het laagste kastje van zijn grote eiken dressoir en deed het deurtje op slot.
Een voor een nam hij de overige drieëndertig voorwerpen onder handen. Het was een manie voor hem geworden, een heftige drang om elk voorwerp in zijn volle zilveren glans te doen schitteren. Hij wilde alle vierendertig stukken op de tafel uitgestald zien, in een verblindende overvloed van zilver. Dat wilde hij boven alles en hij zwoegde met de moed der wanhoop om dat doel te bereiken.
Vervolgens maakte hij de twee kleinere schotels schoon, toen de grote gegolfde kom, toen de vijf opscheplepels met hun lange handgrepen, de bekers, de wijnroemers, de lepels. Ieder ding werd al even zorgvuldig schoongemaakt en gepoetst tot het even prachtig glansde. En toen alles klaar was, waren er twee jaren voorbijgegaan en was het 1944.
Maar niemand anders mocht het zien. Ford sprak er met geen mens over en Rolfe, de eigenaar van het stuk land op Thistley Green, waar de schat gevonden was, wist van niets behalve dat Ford, of iemand die door Ford gehuurd was, zijn land uitstekend en heel

diep geploegd had.
Het is niet moeilijk te raden waarom Ford de schat verborgen hield in plaats van hem aan te geven bij de politie. Als hij hem aangegeven had, zou hij bij hem weggehaald zijn en zou Gordon Butcher, de vinder, de beloning hebben opgestreken. Een vorstelijke beloning. Dus het enige wat Ford kon doen was hem bij zich houden en verbergen in de hoop, waarschijnlijk, om hem later stilletjes eens te verkopen aan de een of andere handelaar of verzamelaar.
Het is natuurlijk ook mogelijk de zaak wat milder te bezien en aan te nemen, dat Ford de schat alleen maar hield omdat hij dol was op mooie dingen en ze om zich heen wilde hebben. Niemand zal ooit weten wat het goede antwoord is.
Nog een jaar ging voorbij.
De oorlog tegen Hitler werd gewonnen.
En toen, in 1946, vlak na Pasen werd er op Fords deur geklopt. Ford deed open.
'Hee hallo, meneer Ford. Hoe gaat het met u na al deze jaren?'
'Hallo, dokter Fawcett,' zei Ford. 'Is het u goed gegaan?'
'Prima, dank u,' zei dr. Fawcett. 'Dat is lang geleden, hè?'
'Nou en of,' zei Ford. 'Die oorlog heeft ons allemaal behoorlijk beziggehouden.'
'Mag ik binnenkomen?' vroeg dr. Fawcett.
'Natuurlijk,' zei Ford. 'Kom er in.'
Dr. Hugh Alderson Fawcett was een toegewijde en zeer geleerde archeoloog, die er voor de oorlog een gewoonte van had gemaakt eenmaal per jaar Ford op te zoeken met het oog op oude stenen of pijlpunten. Ford had gewoonlijk heel wat van zulke dingen verzameld in die twaalf maanden en hij was altijd bereid ze aan Fawcett te verkopen. Ze waren meestal niet veel waard, maar zo nu en dan kwam er wel eens iets goeds te voorschijn.
'Zo, zo,' zei Fawcett, terwijl hij zijn jas uittrok in het gangetje. 'Zo, zo, zo. Het is wel zeven jaar geleden dat ik hier voor het laatst was.'
'Ja, het is een hele tijd,' zei Ford.
Ford ging hem voor naar de voorkamer en liet hem een doos

pijlpunten zien, die in de buurt waren gevonden. Sommige waren goed, andere minder. Fawcett zocht ze uit, sorteerde ze en de koop werd gesloten.
'Niks anders?'
'Nee, ik geloof van niet.'
Ford wenste vurig dat dr. Fawcett nooit gekomen was. Hij wenste zelfs nog vuriger dat hij weer weg zou gaan.
Op dat moment zag Ford iets dat het angstzweet bij hem deed uitbreken. Hij zag plotseling dat hij op de schoorsteenmantel de twee mooiste Romeinse lepels van de schat had laten liggen. Deze lepels fascineerden hem, omdat in allebei de naam van een Romeins meisje gegraveerd stond, misschien een doopgeschenk van Romeinse ouders die tot het Christendom bekeerd waren. De ene naam was Pascentia en de andere Papittedo. Werkelijk prachtige namen. Ford probeerde zwetend van angst tussen Fawcett en de schoorsteen te gaan staan. Misschien, bedacht hij, zou hij zelfs de lepels in zijn zak kunnen laten glijden, als hij de kans kreeg. Hij kreeg de kans niet.
Misschien had Ford ze zo goed gepoetst dat een flits van weerkaatst licht de aandacht van de geleerde trok. Wie zal het zeggen? Het blijft een feit dat Fawcett ze zag. En hij zag ze nog niet of hij sprong er als een tijger op af.
'Grote goedheid!' riep hij. 'Wat hebben we hier?'
'Tin,' zei Ford, nog erger zwetend dan eerst. 'Gewoon een paar ouwe tinnen lepels.'
'Tin?' riep Fawcett, die een van de lepels ronddraaide in zijn vingers. 'Tin! Noem jij dit *tin?*'
'Ja zeker,' zei Ford, 'dat is tin.'
'Weet je wat dit is?' vroeg Fawcett met overslaande stem van opwinding. 'Zal ik je eens precies vertellen wat dit *echt* is?'
'Niet nodig,' zei Ford nijdig. 'Ik weet wat dat is. Dat is oude tin. En lang niet gek bovendien.'
Fawcett las de inscriptie in Romeinse letters op de binnenkant. 'Papittedo!' riep hij.
'Wat betekent dat?' vroeg Ford hem.

Fawcett pakte de andere lepel. 'Pascentia,' zei hij. 'Schitterend! Dat zijn de namen van Romeinse kinderen! En deze lepels, beste man, zijn van massief zilver!'
'Bestaat niet,' zei Ford.
'Ze zijn magnifiek!' riep Fawcett verrukt. 'Ze zijn volmaakt! Ze zijn ongelofelijk! Waar heb je die in vredesnaam gevonden? Het is van het grootste belang te weten waar je ze gevonden hebt! Was er nog meer?' Fawcett danste door de kamer.
'Nou...' zei Ford en likte langs zijn droge lippen.
'Je moet dit onmiddellijk aangeven!' riep Fawcett. 'Dat is een schat! Het Brits Museum zal ze willen hebben, dat is een ding dat zeker is! Hoe lang heb je ze al?'
'Een poosje,' zei Ford.
'En *wie* heeft ze gevonden?' vroeg Fawcett, hem recht aankijkend. 'Heb je ze zelf gevonden of heb je ze van iemand anders? Dat is waar het om gaat. De vinder kan het ons precies vertellen!'
Ford had het gevoel dat de muren van de kamer op hem afkwamen en hij wist niet wat te doen.
'Vooruit man! Je weet toch zeker wel hoe je er aan komt! Ze zullen het naadje van de kous willen weten, wanneer je ze gaat aangeven. Beloof je me, dat je er meteen mee naar de politie gaat?'
'Nou...' zei Ford.
'Als jij 't niet doet, dan ben ik bang dat ik het zelf zal moeten aangeven,' zei Fawcett. 'Dat is mijn plicht.'
Het spel was uit en Ford wist het. Duizenden vragen zouden op hem afgevuurd worden. Hoe heb je ze ontdekt? Wanneer heb je ze gevonden? Wat was je aan het doen? Waar precies? Wiens land was je aan het ploegen? En vroeg of laat zou onvermijdelijk de naam van Gordon Butcher vallen. Daar zou hij nooit onderuit kunnen. En dan, wanneer Butcher ondervraagd werd, zou hij zich de omvang van de schat herinneren en alles vertellen.
Het spel was dus uit. En het enige wat hem nu te doen stond was de deuren van het dressoir open te doen en de hele schat aan dr. Fawcett laten zien.
Fords smoes om alles te houden en niet aan te geven zou moeten

zijn dat hij dacht dat het tin was. Als hij dat maar bleef volhouden, zei hij tegen zichzelf, dan konden ze hem niks maken.
Dr. Fawcett zou vast een hartaanval krijgen als hij zag wat er in die kast lag.
'Er is in feite nog heel wat meer,' zei Ford.
'Waar?' riep Fawcett ronddraaiend. 'Waar, man, waar? Laat zien!'
'Ik dacht echt dat het tin was,' zei Ford en liep langzaam met grote tegenzin naar het eikehouten dressoir. 'Anders had ik het natuurlijk meteen aangegeven.'
Hij bukte en draaide de sleutel om. Hij opende de deuren.
En toen kreeg dr. Hugh Alderson Fawcett bijna echt een hartaanval. Hij liet zich op zijn knieën vallen. Hij snakte naar adem. Hij stikte half. Hij begon te sputteren als een oude ketel. Hij stak zijn handen uit naar de grote schaal. Hij pakte hem. Hij hield hem in zijn bevende handen en zijn gezicht werd zo wit als sneeuw. Hij zei niets. Hij kon niets zeggen. Hij was letterlijk en lichamelijk en geestelijk met stomheid geslagen door het zien van de schat.

Het interessante deel van het verhaal is hiermee afgelopen. De rest is heel gewoon. Ford ging naar het politiebureau in Mildenhall en deed aangifte. De politie kwam dadelijk de vierendertig voorwerpen ophalen en ze werden onder bewaking naar het Brits Museum gestuurd voor onderzoek.
Toen kwam er een dringende boodschap van het Museum aan de politie van Mildenhall. Het was verreweg het mooiste Romeinse zilver dat ooit in Engeland gevonden was. Het was geweldig veel waard. Het Museum (dat eigenlijk een openbare staatsinstelling is) wilde het opnemen. In feite stonden ze erop het in hun collectie op te nemen.
De ambtelijke molen begon te draaien. Er werd een officieel onderzoek georganiseerd in de dichtstbijgelegen grote stad, Bury St. Edmunds. Het zilver werd er heengebracht onder speciale politiebewaking. Ford werd opgeroepen om te verschijnen voor de officier van Justitie en een jury van veertien man, en ook Gordon Butcher, die goede stille man, kreeg het bevel te verschijnen om te getuigen.

Op maandag 1 juli 1946 werd de hoorzitting gehouden en de Officier van Justitie ondervroeg Ford heel nauwkeurig.
'U dacht dat het tin was?'
'Ja.'
'Zelfs nadat u het schoongemaakt had?'
'Ja.'
'En u deed geen enkele moeite om deskundigen van uw vondst op de hoogte te stellen?'
'Nee.'
'Wat was u van plan te doen met de voorwerpen?'
'Niks. Gewoon houden.'
En toen hij klaar was met het verhoor, vroeg Ford of hij naar buiten mocht in de frisse lucht, omdat hij zei dat hij zich niet zo lekker voelde. Dat verbaasde niemand.
Toen werd Butcher opgeroepen en in een paar eenvoudige woorden vertelde hij zijn rol in deze zaak.
Dr. Fawcett legde zijn verklaring af, en ook verscheidene andere geleerde archeologen, die allemaal stelden dat het een buitengewoon unieke schat was. Ze zeiden dat hij uit de vierde eeuw na Christus was, dat het tafelzilver van een rijke Romeinse familie was en dat het waarschijnlijk door de rentmeester van de eigenaar begraven was, om het uit handen te houden van de Picten en Schotten, die in de jaren 365–367 uit het noorden kwamen en heel wat Romeinse nederzettingen met de grond gelijk maakten. De man die het begraven had was waarschijnlijk vermoord door een Pict of een Schot en sindsdien had de schat steeds onder de grond gezeten. Het vakmanschap, zeiden de deskundigen, was geweldig. Een gedeelte ervan kon in Engeland vervaardigd zijn, maar het was waarschijnlijker dat het uit Italië of Egypte kwam. De grote schaal was natuurlijk het mooiste stuk. De kop in het midden was van Neptunus, de zeegod, met dolfijnen in zijn haar en zeewier in zijn baard. Overal om hem heen dartelden zeenimfen en zeemonsters. Op de brede rand stond Bacchus met zijn volgelingen. Er was wijn en er waren zwelgpartijen. Hercules was er stomdronken, ondersteund door twee saters; zijn leeuwenhuid was van zijn schouders afgegleden.

Ook Pan was er, dansend op zijn bokkepoten, met zijn fluit in de hand. En overal waren Maenaden, de vrouwelijke ingewijden van Bacchus – nogal teute vrouwen.
Ook kreeg men te horen dat op verschillende lepels het monogram van Christus (Chi-Rho) voorkwam en dat de twee waarin de namen Pascentia en Papittedo gegraveerd stonden ongetwijfeld doopgeschenken waren.
De deskundigen voltooiden hun verklaringen en de jury trok zich terug. De jury kwam al gauw weer binnen en hun uitspraak was verbazingwekkend. Niemand werd wat dan ook verweten, maar de vinder van de schat had geen recht meer op de volle beloning van de kroon, omdat de vondst niet meteen was aangegeven. Niettemin zou er waarschijnlijk wel een bepaalde uitkering gedaan worden en met het oog daarop werden Ford en Butcher gezamenlijk als vinders aangewezen.
Niet Butcher. Ford én Butcher.
Meer is er niet te vertellen, behalve dan dat de schat werd opgenomen in het Brits Museum, waar alles nu trots staat uitgestald in een grote glazen vitrine waar iedereen het kan zien. En er zijn al mensen van heel ver gekomen om te kijken naar deze prachtige dingen die Gordon Butcher op die koude, stormachtige middag onder zijn ploeg vond.
Binnenkort zullen er wel een of twee dikke boeken over verschijnen, vol veronderstellingen en diepzinnige conclusies, en mensen die zich met archeologie bezighouden zullen wel altijd blijven praten over de schat van Mildenhall.
Bij wijze van gebaar beloonde het Museum de beide vinders met ieder tienduizend gulden. Butcher, de echte vinder, was dolgelukkig en verbaasd over zoveel geld. Hij besefte niet dat, wanneer hij in het begin de schat mee naar huis had mogen nemen, hij zo goed als zeker anderen van zijn vondst op de hoogte had gesteld en zo in aanmerking zou zijn gekomen voor een beloning van de volle honderd procent van de waarde, wat zou zijn neergekomen op een bedrag van tussen de vijf en tien miljoen gulden.
Niemand weet wat Ford van de hele zaak dacht. Hij moet opgelucht

en misschien ook wel een beetje verbaasd zijn geweest, toen hij hoorde dat zijn smoes over tin geloofd werd. Maar vooral moet hij diep geschokt zijn geweest over het verlies van zijn grootse schat. Voor de rest van zijn leven zou hij zichzelf vervloeken omdat hij die twee lepels op de schoorsteenmantel had laten liggen, zodat dr. Fawcett ze kon zien.

De zwaan

Arie had een geweer gekregen voor zijn verjaardag. Zijn vader, die op deze zaterdagochtend om half tien alweer voor de tv. hing, zei: 'Nou knul, laat maar es zien wat jij daarmee klaarmaakt. Doe 's wat nuttigs. Versier jij maar es een konijntje voor 't avondeten.'
'D'r zitten massa's konijnen op dat grote veld aan de andere kant van het meer,' zei Arie, ''k heb ze zelf gezien.'
'Schiet op dan en ga er eentje voor ons te grazen nemen,' zei de vader, terwijl hij met een gespleten lucifershoutje zijn ontbijt tussen zijn tanden uitpeuterde, 'schiet op, ga er maar een voor ons pikken.'
'Twee kan je d'r van mij krijgen,' zei Arie.
'En haal op de terugweg,' zei de vader, 'een paar flesjes bier.'
'Dan moet ik geld hebben,' zei Arie.
Zonder zijn ogen een seconde van het scherm af te houden viste de vader een tientje uit zijn zak. 'En waag 't niet 't wisselgeld in te pikken, zoals de vorige keer,' zei hij, 'of ik zál je, jarig of niet.'
'Ach zeur niet,' zei Arie.
'En als je wilt oefenen met dat geweer,' zei de vader, 'kan je 't beste vogels nemen. Kijk eerst maar es hoeveel spreeuwen je neer kan knallen, okee?'
'Okee,' zei Arie, ''t sterft van de spreeuwen in de heggen langs 't laantje. Een spreeuw da's 'n makkie.'
'Nou als je spreeuwen dan zo'n makkie vindt,' zei de vader, 'probeer dan maar es een roodborstje. Roodborstjes zijn maar half zo groot als spreeuwen en kunnen geen seconde stil zitten. Probeer jij eerst maar es een roodborstje, jij met je grote bek over hoe goed je ben!'
'Hè Albert,' zei zijn vrouw van boven het aanrecht, 'dat vinnik niet lollig, vogeltjes schieten in mei. Konijnen kunnen me niks schelen, maar vogeltjes met nestjes, dat is heel wat anders.'
'Kop dicht,' zei de vader, 'jou is niks gevraagd. En jij, knul,' zei hij tegen Arie, 'niet met dat ding op straat rondhangen, want je hebt geen vergunning. Hou 'm in je broekspijp tot je het dorp uit bent, okee?'

'Vanzelf,' zei Arie. Hij nam zijn geweer en de doos met kogels en ging op weg om te kijken wat hij kon doodschieten. Hij was een dikke bul van een jongen, precies vandaag vijftien jaar oud geworden. Net als zijn vader, de vrachtrijder, had hij kleine spleetoogjes vlak naast elkaar boven bij z'n neus. Zijn mond was slap met van die nattige lippen. Grootgebracht in een gezin waar gewelddadigheid een alledaags verschijnsel was, was hij zelf een bijzonder agressieve jongen geworden, een vandaal.
Meestal ging hij in de weekends met een stel vriendjes met bus of trein naar voetbalwedstrijden en als zij niet een of ander bloederig gevecht op hun naam konden schrijven, beschouwden ze het als een verloren dag.
Het gaf hem ook een hoop plezier om kleine jongetjes op te wachten na schooltijd en hun armen op hun rug te draaien. Dan moesten ze voor hem allerlei smerige, beledigende dingen over hun eigen ouders zeggen.
'Au! Niet doen, Arie, alsjeblieft niet doen!'
'Zeg op of ik draai je arm eraf.'
Tenslotte zeiden ze het altijd. Dan gaf hij nog een extra ruk aan de arm en het slachtoffer droop in tranen af.
Arie's beste vriend heette Raymond. Hij woonde vier huizen verder en was ook groot voor zijn leeftijd. Maar zo zwaar en bonkig als Arie was, zo lang, mager en pezig was Raymond.
Buiten Raymonds huis, stak Arie twee vingers in zijn mond en liet een lang snerpend gefluit horen. Raymond kwam naar buiten.
'Kijk es wat ik voor me verjaardag heb gehad,' zei Arie en liet hem 't geweer zien.
'Tjee!' zei Raymond. 'Daar kunnen we lol mee hebben.'
'Kom op dan,' zei Arie, 'gaan we naar dat veld aan de andere kant van het meer konijnen schieten.'
De twee jongens gingen op weg. Het was een zaterdagmorgen in mei en het landschap rondom het dorpje waar de jongens woonden zag er prachtig uit. De kastanjebomen stonden in volle bloei en de meidoornhagen waren wit van de bloesem. Om bij het konijnenveld te komen moesten Arie en Raymond eerst bijna een kilometer

door een smal laantje tussen de heggen. Dan moesten ze de spoorweg oversteken en om het grote meer heenlopen, waar veel wilde eenden, waterhoentjes, meerkoeten en roerdompen nestelden. Aan de andere kant van het meer achter de heuvel lag het konijnenveld. Dit was allemaal privé-terrein van meneer Dolf Hoogland en het meer zelf was een natuurreservaat voor watervogels.
Het hele laantje door schoten ze om de beurt op kleine vogeltjes in de heggen. Arie kreeg een goudvink en een roodstaartje te pakken, Raymond een tweede goudvink, een heggemus en een geelgors. Alle dode vogeltjes knoopten ze met hun pootjes aan een eindje touw. Raymond ging nooit ergens heen zonder een rol touw en een mes in zijn jaszak. Nu bungelden er vijf vogeltjes aan een eindje touw.
'Zeg weet je,' zei Raymond, 'die kunnen we opeten.'
'Doe niet zo stom,' zei Arie, 'd'r zit nog niet genoeg vlees aan om een houtworm te eten te geven.'
'Welles,' zei Raymond, 'de Fransen eten ze en Italianen ook. Meester Sanders zei dat op school. Hij zei dat ze netten spannen en wel een miljoen vogels vangen en dan eten ze ze op.'
'Nou goed,' zei Arie, 'laten we kijken hoeveel we er te pakken krijgen. Dan nemen we ze mee naar huis en gooien ze in de konijnenstoofpot.'
De hele weg langs het laantje schoten ze op alle vogeltjes die ze maar zagen. Tegen de tijd dat ze bij de spoorweg kwamen bungelden er veertien vogeltjes aan het touwtje.
'Hee!' fluisterde Arie en wees met zijn arm, 'kijk daar es.'
Naast de spoorlijn was een groepje bomen en struiken en naast een van de struiken stond een jongetje. Hij tuurde door een verrekijker omhoog in de takken van een oude boom.
'Weet je wie dat is?' fluisterde Raymond terug. 'Da's dat ettertje van Walters.'
'Verdomd ja,' fluisterde Arie, ''t is Walters, dat onderkruipsel.'
Peter Walters beschouwden zij als hun grootste vijand. Arie en Raymond konden hem niet uitstaan omdat hij bijna alles was wat zij niet waren. Hij was klein en smalletjes. Hij had sproeten en droeg

een bril met dikke glazen. Hij was een geweldige leerling en al was hij nog maar dertien jaar, toch zat hij in een hogere klas. Hij was dol op muziek en kon goed pianospelen. In sport was hij slecht. Hij was rustig en beleefd. Zijn kleren, hoe versteld en gestopt ze ook waren, waren altijd schoon. En zijn vader werkte op een kantoor.

'Zullen we die rotjongen eens even de stuipen op 't lijf jagen?' fluisterde Arie.

De twee grote jongens slopen tot vlak bij het kleine jongetje, dat hen niet zag omdat hij nog steeds de verrekijker voor zijn ogen hield.

'Handen omhoog!' schreeuwde Arie met het geweer op hem gericht.

Peter Walters maakte een reuzesprong. Hij liet de kijker zakken en tuurde door zijn bril naar de twee indringers.

'Schiet op,' schreeuwde Arie, 'hens up!'

'Ik zou dat geweer niet op mensen richten als ik jou was,' zei Peter.

'*Wij* zeggen hier wat er gebeuren moet!' zei Arie.

'Handen omhoog dus,' zei Raymond, 'als je geen kogel in je pens wil.'

Peter Walters stond doodstil met de verrekijker in zijn handen.

Hij keek naar Raymond. Toen naar Arie. Hij was niet bang, maar hij wist maar al te goed dat je met deze twee moest uitkijken. Hij had door de jaren heen al heel wat van hen te lijden gehad.

'Wat willen jullie eigenlijk?' vroeg hij.

'DOE JE HANDEN OMHOOG,' krijste Arie tegen hem, 'KAN JE GEEN NEDERLANDS?'

Peter Walters verroerde zich niet. 'Ik tel tot vijf,' zei Arie, 'en als ze dan nog niet omhoog zijn, krijg je een kogel in je donder. Een... twee... drie...'

Langzaam stak Peter Walters zijn armen in de lucht. Het was het enige verstandige wat hij kon doen.

Raymond deed een stap naar voren en rukte de verrekijker uit zijn hand. 'Wat moet je daarmee?' snauwde hij, 'wie zat je te bespioneren?'

'Niemand.'
'Lieg niet, Walters. Die dingen zijn om mee te spioneren. Wedden dat je ons bespioneerde! Zo is het toch hè? Beken het maar.'
'Ik bespioneerde jullie niet.'
'Geef 'm een lel,' zei Arie, 'dat zal 'm leren niet tegen ons te liegen.'
'Zo meteen,' zei Raymond, 'daar werk ik net naar toe.'
Peter Walters berekende zijn kansen om te vluchten. Het enige wat hij zou kunnen doen was omdraaien en wegrennen, en daar schoot hij niks mee op. Ze zouden hem in een paar seconden hebben ingehaald. En als hij om hulp schreeuwde was er geen mens die hem kon horen.
Het enige wat hij dus kon doen was kalm blijven en proberen zich eruit te praten.
'Houd je handen omhoog!' blafte Arie, terwijl hij de loop van zijn geweer langzaam van de ene naar de andere kant bewoog, zoals hij gangsters had zien doen op de tv. 'Vooruit, mannetje, omhoog!'
Peter deed wat hem gezegd werd.
'Nou wie spioneerde je dan?' vroeg Raymond. 'Zeg op!'
'Ik keek naar een groene specht,' zei Peter.
'Een wat?'
'Een groene specht, een mannetje. Hij was de stam van die dode oude boom aan het bekloppen om maden te zoeken.'
'Waar zit ie?' snauwde Arie. 'Dan zal ik 'm es even te pakken nemen!'
'Helemaal niet,' zei Peter en keek naar het bosje vogeltjes dat aan Raymonds schouder hing. 'Hij vloog meteen weg toen jullie zo schreeuwden. Spechten zijn erg schuw.'
'Waarom zat je naar 'm te kijken?' vroeg Raymond wantrouwend. 'Wat heb je daar nou aan? Heb je niks beters te doen?'
'Het is leuk om naar vogels te kijken,' zei Peter, 'het is een stuk leuker dan ze dood te schieten.'
'Nee maar, jij kleine brutale vlerk!' riep Arie. 'Jij vindt 't dus niet leuk dat wij vogels schieten, hè? Bedoel je dat soms?'
'Ik vind het absoluut zinloos.'
'Jij vindt niks wat wij doen leuk, is het wel?' zei Raymond.

Peter gaf geen antwoord.
'Nou dan zal ik jou es even wat vertellen,' ging Raymond verder. 'Wij vinden ook niks leuk wat jij doet.'
Peters armen begonnen pijn te doen. Hij besloot een risico te nemen, langzaam liet hij ze naar beneden zakken.
'Omhoog!' gilde Arie. 'Doe die handen omhoog!'
'En als ik dat niet doe?'
'Verrek! Jij hebt lef zeg,' zei Arie. 'Ik zeg je nou voor de laatste keer dat ik de trekker overhaal als je 't verdomt je handen omhoog te steken.'
'Dat zou een misdaad zijn,' zei Peter, 'dat zou een geval voor de politie worden.'
'En jij zou een geval voor 't ziekenhuis zijn!' zei Arie.
'Toe dan, schiet dan,' zei Peter, 'dan sturen ze je naar een verbeteringsgesticht, een soort gevangenis.'
Hij zag Arie aarzelen.
'Je vraagt er gewoon om, weet je dat?' zei Raymond.
'Ik vraag alleen maar gewoon om met rust gelaten te worden,' zei Peter. 'Ik heb jullie niets gedaan.'
'Je bent een rottig klein opscheppertje,' zei Arie, 'dat is net precies wat je bent: een rottig klein opscheppertje.'
Raymond boog zich naar Arie toe en fluisterde wat in z'n oor.
Arie luisterde aandachtig. Toen sloeg hij zich op zijn heup en zei: 'Hè ja! Dat is een prima idee!'
Arie legde zijn geweer op de grond en ging op het jongetje af. Hij pakte hem beet en smeet hem tegen de grond. Raymond haalde de rol touw uit zijn zak en sneed er een stuk af. Samen drukten ze zijn armen naar voren en bonden zijn polsen stevig aan elkaar vast.
'Nou zijn benen,' zei Raymond.
Peter stribbelde tegen en kreeg een stomp in z'n maag. Hij snakte naar adem en lag stil. Vervolgens bonden ze zijn enkels vast met een ander stuk touw. Hij was nu volslagen hulpeloos.
Arie raapte zijn geweer op en greep met zijn andere hand een van Peters armen. Raymond pakte de andere arm en samen begonnen

zij de jongen over het gras naar de spoorlijn te slepen.
Peter hield zijn mond stijf dicht. Wat zij ook van plan waren, praten zou nooit helpen.
Zij sleurden hun slachtoffer de spoordijk op.
Toen pakte de een zijn armen en de ander zijn benen, zij tilden hem op en legden hem languit tussen de rails.
'Jullie zijn gek!' zei Peter. 'Dat kunnen jullie niet doen!'
'O vindt meneer dat? Nou, het is alleen maar een klein lesje om je te leren om niet zoveel praats te hebben.'
'Nog wat touw,' zei Arie.
Raymond haalde de rol touw te voorschijn en de twee grote jongens begonnen hun slachtoffer nu zo vast te binden dat hij zich nooit tussen de rails vandaan zou kunnen kronkelen. Dat deden ze door een lus rond elke arm te leggen en het touw onder de rail aan elke kant door te trekken.
Hetzelfde deden zij met zijn middel en zijn enkels. Toen ze klaar waren lag Peter Walters hulpeloos en vrijwel zonder een vin te kunnen verroeren tussen de rails gebonden. De enige delen van zijn lichaam, die hij nog een beetje kon bewegen, waren zijn hoofd en zijn voeten.
Arie en Raymond deden een stap naar achteren om hun werk te inspecteren.
'Dat hebben we lang niet gek gedaan,' zei Arie.
'De treinen rijden hier om het halfuur op deze lijn,' zei Raymond. 'We hoeven niet lang te wachten.'
'Dat is moord!' riep het kleine jongetje tussen de rails.
'Niks hoor,' zei Raymond tegen hem, 'daar is niks van aan.'
'Maak me los! Alsjeblieft maak me los, als er een trein langs komt rijdt hij me dood!'
'Als je doodgaat,' zei Arie, 'dan is dat je eigen stomme schuld, mannetje, en ik zal je vertellen waarom. Als jij je kop optilt zoals nou, dan ben je er geweest, jochie. Als je helemaal plat blijft liggen dan heb je misschien een kansje 't er levend af te brengen. Nou ja, misschien ook niet want ik zou niet precies weten hoeveel ruimte die treinen aan de onderkant overlaten. Zeg, weet jij toevallig hoeveel

ruimte treinen van onderen hebben, Raymond?'
'Een verrekt klein beetje,' zei Raymond, 'ze zijn heel laag bij de grond gebouwd.'
'Kan net genoeg zijn en 't kan ook net niet genoeg zijn,' zei Arie.
'Laten we 't zo zeggen,' zei Raymond ''t zou vast net genoeg zijn voor een gewoon mens zoals ik of jij, Arie, maar van meneertje Walters hier, weet ik 't nog zo net niet en ik zal je zeggen waarom.'
'Waarom dan?' vroeg Arie om hem aan te moedigen.
'Meneertje Walters hier heeft een opgeblazen kop, dat is waarom. Hij heeft zo'n allemachtige grote kop dat ik persoonlijk denk dat de onderkant van de trein er hoe dan ook een stukkie af zal schrapen. Ik zeg niet dat ie z'n kop eraf rijdt, dat zeg ik niet. Ik ben er zelfs vrij zeker van dat ie dat niet zal doen. Maar hij zal zijn gezicht behoorlijk toetakelen. Daar kan je donder op zeggen.'
'Daar zou je wel eens gelijk in kunnen hebben,' zei Arie.
''t Is niet zo best,' zei Raymond, 'om zo'n grote opgezwollen kop vol hersens te hebben als je op een spoorlijn ligt en een trein op je afkomt. Zo is 't toch, Arie?'
'Zo is 't net,' zei Arie.
De twee grote jongens sprongen de dijk af en gingen achter een paar struiken op het gras zitten. Arie haalde een pakje sigaretten te voorschijn en ze staken allebei op.
Hulpeloos tussen de rails besefte Peter Walters nu dat ze hem niet los zouden maken. Het waren gevaarlijke gekken, die jongens. Zij leefden bij 't moment alleen en maalden niet om de gevolgen van hun daden. Ik moet proberen kalm te blijven en na te denken, zei Peter tegen zichzelf. Zo lag hij daar, doodstil, en woog zijn kansen af. Die kansen lagen vrij goed. Het hoogste stukje van hem was zijn neus. Hij schatte dat het puntje van zijn neus ongeveer tien centimeter boven de rails uitstak. Zou dat teveel zijn? Hij wist niet precies hoeveel ruimte die moderne locomotieven van onderen hadden. Veel was het zeker niet. Zijn achterhoofd lag op het kiezel tussen twee dwarsliggers. Hij moest proberen een kuiltje te maken in het kiezel. Dus begon hij zijn hoofd heen en weer te wiebelen om de steentjes opzij te drukken en zo maakte hij langzamerhand

een klein kuiltje, een holletje in het kiezel.
Uiteindelijk had hij zijn hoofd volgens eigen berekening zo'n vijf centimeter omlaag gekregen. Dat was genoeg voor zijn hoofd. Maar nu zijn voeten. Die staken ook uit. Dat loste hij op door zijn bijeengebonden voeten naar een kant te draaien, zodat ze bijna plat tegen de grond lagen.
Hij wachtte op de trein.
Zou de machinist hem zien?
Dat was heel onwaarschijnlijk, want dit was een van de doorgaande lijnen, waarop ze van die enorme locomotieven gebruikten waarin de machinist helemaal achteraan zat en alleen maar op de signalen lette. Op dit gedeelte van de baan reden de treinen wel zo'n honderdtwintig kilometer per uur. Dat wist Peter. Hij had er vaak genoeg naar zitten kijken. Toen hij klein was had hij de gewoonte hun nummers op te schrijven in een klein boekje, en soms hadden de locomotieven ook namen met gouden letters op de zijkant.
In elk geval, zei hij tegen zichzelf, zou het een gruwelijke belevenis worden. Het lawaai zou oorverdovend zijn en de wervelwind van honderdtwintig kilometer per uur zou ook niet bepaald prettig zijn. Hij vroeg zich een ogenblik af of er onder de trein, als die over hem heen denderde, niet een soort luchtledig zou ontstaan, zodat hij omhoog gezogen zou worden. Dat zou best eens kunnen. Daarom moest hij zich, wat er ook gebeurde, er helemaal op concentreren om zijn hele lichaam tegen de grond gedrukt te houden. Vooral niet slap worden. Je stijf houden en je spieren spannen en je tegen de grond drukken.
'Hoe is 't, slome?' riep een van hen van achter de struiken. 'Hoe voelt 't om te wachten op je laatste uurtje?'
Hij besloot geen antwoord te geven. Hij keek naar de blauwe lucht boven zijn hoofd, waar een enorme stapelwolk langzaam van links naar rechts dreef. En om niet te denken aan wat er dadelijk zou gaan gebeuren deed hij een spelletje, dat zijn vader hem lang geleden eens geleerd had, op een warme zomerdag toen zij op hun rug in het gras lagen boven op de klippen. Dat spelletje was rare gezichten op te sporen in de plooien, schaduwen en welvingen van stapel-

wolken. Als je maar echt goed keek, had zijn vader gezegd, dan ontdekte je altijd wel het een of andere gezicht daar boven.
Peter liet zijn ogen langzaam over de wolk dwalen. Aan een kant zag hij een eenogige man met een baard. Aan de andere kant zat een lachende heks met een lange puntkin.
Er vloog een vliegtuigje van het oosten naar het westen voor de wolk langs. Het was een eenmotorig vliegtuigje met van die hoge vleugels en een rode romp. Een oude pipercup, dacht hij. Hij keek ernaar tot het verdween.
En toen plotseling hoorde hij een eigenaardige vibratietoon uit de rails komen, aan beide zijden van hem. Het was heel zacht, dat geluid, bijna onhoorbaar, een zoemend vroemend gefluister dat van heel ver weg langs de rails scheen te komen.
Dat is een trein, zei hij tegen zichzelf.
Het trilgeluid van de rails werd luider en nog luider. Hij tilde zijn hoofd op en keek de baan af die zich kaarsrecht kilometers in de verte uitstrekte. Het was op dat moment dat hij de trein zag.
Eerst was het niet meer dan een stipje, een klein zwart stipje in de verte, maar in die paar seconden dat hij zijn hoofd omhoog hield werd het stipje al groter en groter en begon het vorm te krijgen en al gauw was het geen stipje meer maar de grote stompe neus van een sneltrein. Peter liet zijn hoofd vallen en drukte het uit alle macht in het kleine kuiltje dat hij er voor gemaakt had in het kiezel. Hij draaide zijn voeten naar een kant. Hij deed zijn ogen stijf dicht en probeerde zijn lichaam in de grond te boren.
De trein vloog over hem heen als een ontploffing. Het was alsof er een geweer in zijn hoofd afging. En met de ontploffing kwam er een krijsende rukwind die als een orkaan door zijn neusgaten in zijn longen woei.
Het lawaai was verpletterend.
De wind deed hem stikken.
Hij had het gevoel dat hij levend opgevreten en ingeslikt in de maag van een krijsend mensenetend monster belandde.
En toen was het voorbij. De trein was weg. Peter deed zijn ogen open en zag de blauwe lucht en de grote witte wolk die nog steeds

boven overdreef. Het was nu allemaal voorbij en hij had het gehaald. Hij had het overleefd.
'Hij heeft 'm gemist,' klonk een stem.
'Wat jammer,' klonk een andere stem.
Hij keek opzij en zag de twee grote lummels over hem heengebogen. 'Snij 'm maar los,' zei Arie.
Raymond sneed de touwen door waarmee hij aan beide kanten aan de rails gebonden was.
'Maak z'n voeten maar los, dat ie kan lopen, maar z'n handen niet,' zei Arie.
Raymond sneed het touw rond zijn enkels door.
'Sta op,' zei Arie.
Peter krabbelde omhoog.
'Je bent nog steeds onze gevangene, ventje,' zei Arie.
'En die konijnen dan?' vroeg Raymond. 'Ik dacht dat we achter de konijnen aangingen?'
'Tijd zat,' antwoordde Arie. 'Ik dacht zo dat we onderweg net zo goed even dat stuk ongeluk in het meer konden lazeren.'
'Prima,' zei Raymond, 'zal 'm afkoelen.'
'Jullie hebben je lolletje nou toch wel gehad,' zei Peter Walters, 'waarom laten jullie me niet gaan?'
'Omdat je onze gevangene bent,' zei Arie, 'en niet zo'n doodgewone gevangene ook. Je bent een spion. En je weet wat er met spionnen gebeurt als ze gevangen worden, hè? Die worden tegen de muur gezet en doodgeschoten.'
Peter zei daarna maar niets meer.
Het had geen zin om deze twee uit te dagen. Hoe minder hij tegen hen zei en hoe minder hij zich verzette, des te meer kans zou hij hebben het er heelhuids af te brengen. Hij twijfelde er geen seconde aan dat zij in deze stemming in staat waren hem werkelijk ernstig letsel toe te brengen. Hij wist dat Arie na schooltijd al een keer kleine Erik Peters' arm had gebroken en dat Eriks ouders naar de politie waren gegaan. En hij had bovendien Raymond horen opscheppen over wat ze noemden 'de beuk er inzetten' bij de voetbalwedstrijden waar ze heen gingen.

Dat betekende dan bijvoorbeeld iemand in zijn gezicht of zijn maag trappen wanneer hij op de grond lag. Het waren echte vandalen deze twee, en te oordelen naar wat Peter bijna elke dag in z'n vaders krant las, waren zij bepaald niet de enigen. Het leek wel of het hele land vol van die bruten zat. Ze vernielden hele treincoupés, ze hielden veldslagen op straat met messen, fietskettingen en loden pijpen; ze vielen voorbijgangers aan, vooral andere jongelui die alleen over straat gingen, en ze timmerden kleine cafeetjes in elkaar. Arie en Raymond waren dan misschien nog niet helemaal volleerde vandalen, maar ze waren al een heel eind op weg.

Daarom, zei Peter tegen zichzelf, moest hij ze gewoon hun gang laten gaan. Vooral niet beledigen. Ze op geen enkele manier kwaad maken. En 't allerbelangrijkste was zich nooit te verzetten.

Misschien zouden ze dan eindelijk genoeg krijgen van dit vuile spelletje en konijnen gaan schieten.

De twee grote jongens hadden ieder een arm van Peter vastgepakt en zo, met hem tussen zich in, marcheerden ze over het weiland in de richting van het meer. De polsen van de gevangene zaten nog steeds vastgebonden voor zijn lichaam.

Arie droeg het geweer in zijn andere hand. Raymond droeg de verrekijker die hij Peter had afgenomen. Ze kwamen bij het meer. Het meer was prachtig op deze gouden meimorgen. Het was een lang, vrij smal meer met grote wilgebomen die hier en daar langs de oevers groeiden. In het midden was het water helder en schoon, maar dichter bij het land lag een wildernis van riet en lisdodden.

Arie en Raymond marcheerden met hun gevangene naar de oever van het meer en bleven daar staan.

'Goed dan,' zei Arie, 'ik stel voor dat jij dit rotventje bij z'n armen pakt en ik bij z'n benen en dat we 'm dan zo ver mogelijk het mooi modderige rietveld in jonassen. Wat vind je ervan?'

'Staat me wel aan,' zei Raymond, 'en we laten z'n handen wel vast, hè?'

'Precies,' zei Arie, 'wat vind jij ervan snotneus?'

'Als jullie dat met alle geweld willen doen, kan ik jullie toch niet tegenhouden,' zei Peter zo koel en kalm als hij maar kon.

'Probeer ons maar es tegen te houden,' zei Arie grijnzend, 'en kijk dan maar es wat er met je gebeurt.'
'Een laatste vraag,' zei Peter, 'pakken jullie ooit jongens die net zo groot zijn als jullie?'
Zodra hij dat zei wist hij dat hij een fout had gemaakt. Hij zag Arie's wangen rood worden en een klein gevaarlijk vonkje in zijn zwarte oogjes dansen.
Gelukkig bracht Raymond op datzelfde moment uitkomst. 'Hee! Kijk es wat daar voor een beest in het riet rondzwemt!' schreeuwde hij en wees ernaar. 'Die moeten we hebben!'
Het was een wilde eend, een woerd met een lepelvormige gebogen gele snavel en een smaragdgroene kop met een witte ring om zijn hals.
'Die kan je vast wel eten,' ging Raymond verder. 'Dat is een wilde eend.'
'Die pak ik,' zei Arie.
Hij liet de arm van de gevangene los en legde het geweer tegen zijn schouder.
'Dit is een vogelreservaat,' zei Peter.
'Een wat?' vroeg Arie en liet het geweer zakken.
'Niemand mag hier vogels schieten. Dat is streng verboden.'
'En wie beweert dat 't verboden is?'
'De eigenaar, meneer Hoogland.'
'Probeer je soms grappig te wezen,' zei Arie en legde opnieuw aan.
Hij vuurde. De eend schrompelde ineen in het water.
'Halen,' zei Arie tegen Peter. 'Snij z'n handen los, Raymond, dan kan ie mooi voor jachthond spelen en de vogels die we schieten ophalen.'
Raymond pakte zijn mes en sneed het touw om de polsen van het kleine jongetje door.
'Schiet op!' snauwde Arie. 'Halen!'
De dood van de prachtige eend had Peter erg aangegrepen. 'Dat doe ik niet,' zei hij.
Arie sloeg hem met de vlakke hand hard in zijn gezicht. Peter viel niet op de grond, maar uit een neusgat begon een klein straaltje

bloed te vloeien.
'Jij kleine gore smeerlap!' zei Arie. 'Probeer nog eens nee te zeggen en ik zal je es wat beloven. Dit is wat ik je beloof. Als je ook nog maar een enkele keer nee zegt, dan sla ik al jouw blinkende witte tanden uit je bek, onder en boven. Begrepen?'
Peter zei niets.
'Geef antwoord!' blafte Arie. 'Heb je dat goed begrepen?'
'Ja,' zei Peter zachtjes. 'Ik heb 't begrepen.'
'Schiet dan een beetje op,' schreeuwde Arie.
Peter liet zich van de oever in het modderige water zakken en haalde de eend tussen het riet uit. Hij bracht hem terug, Raymond nam hem af en knoopte een touwtje om zijn poten.
'Nou we een echte jachthond hebben, moesten we maar es proberen nog wat meer van die eenden te pakken te krijgen,' zei Arie. Hij wandelde langs de oever met het geweer in de hand en zocht de rietkraag af.
Plotseling stond hij stil. Hij bukte. Hij legde een vinger tegen zijn lippen en zei: 'Sttt!'
Raymond ging bij hem staan. Peter stond een paar meter verder met een broek vol modder tot aan zijn knieën.
'Kijk daar es,' fluisterde Arie en wees in een dichte bos lisdodden, 'zie jij wat ik zie?'
'Allemachtig,' riep Raymond, 'wat een prachtstuk!'
Peter, die van een afstandje tussen de lisdodden tuurde, zag dadelijk waar ze naar keken. Het was een zwaan, een schitterende witte zwaan die vredig op haar nest zat. Het nest zelf bestond uit een grote stapel riet en lissen, die een halve meter boven het water uitstak, en er bovenop zat de zwaan als de grote witte koningin van het meer. Haar kop was naar de jongens op de oever gekeerd, waakzaam en oplettend.
'Hoe vind je die?' vroeg Arie. 'Dat is nog es andere koek dan eenden, hè?'
'Denk je dat je 'm kan hebben?' vroeg Raymond.
'Tuurlijk kan ik die hebben, ik schiet 'm dwars door z'n kanis.'
Peter voelde wilde woede in zich opstijgen. Hij liep naar de grote

jongens toe. 'Ik zou die zwaan maar niet doodschieten, als ik jou was,' zei hij terwijl hij probeerde zijn stem in bedwang te houden. 'Zwanen zijn de meest beschermde vogels van het land.'
'En wat heeft dat er mee te maken,' vroeg Arie spottend.
'En ik zal je nog es wat zeggen,' ging Peter verder, die nu alle voorzichtigheid uit het oog verloor. 'Geen mens schiet op vogels die op hun nest zitten. Helemaal geen mens! Ze kan zelfs wel op jonkies zitten! Dat kan je gewoon niet doen!'
'En wie zegt dat?' vroeg Raymond honend.
'Meneertje betweter snotneus Peter Walters zeker?'
'Het hele land zegt het,' antwoordde Peter. 'De wet zegt het en de politie zegt het en *iedereen* zegt het!'
'*Ik* niet!' zei Arie en legde aan.
'Niet doen,' gilde Peter, 'doe het alsjeblieft niet!'
Krak! Het geweer ging af. De kogel raakte de zwaan precies midden in haar elegante kop en de lange witte nek gleed omlaag op de rand van het nest.
'Hebbes!' riep Arie.
''n Meesterschot!' schreeuwde Raymond.
Arie draaide zich om naar Peter die er klein en spierwit en verstijfd bij stond. 'Ga halen,' beval hij.
Opnieuw verroerde Peter zich niet.
Arie ging naar 't kleine jongetje toe en bracht zijn gezicht vlak bij dat van Peter. 'Ik zeg 't je nu voor de allerlaatste keer,' zei hij zachtjes en dreigend. 'Ga halen!'
De tranen stroomden over Peters gezicht toen hij langzaam het water in liep. Hij waadde naar de dode zwaan en tilde haar teder op met beide handen. Er onder zaten twee heel kleine zwaantjes met donzige gele lijfjes. Ze zaten dicht tegen elkaar aan gekropen midden in het nest.
'Zijn 't eieren?' schreeuwde Arie vanaf de oever.
'Nee,' antwoordde Peter. 'Niks.'
Er was misschien een kans, dacht hij, dat 't mannetje wanneer 't terug kwam door zou gaan met de jongen alleen te voederen, wanneer ze in het nest bleven. Hij wilde ze in ieder geval niet aan de

tedere zorgen van Arie en Raymond blootstellen.
Peter droeg de dode zwaan naar de oever van het meer. Hij legde haar op de grond. Toen stond hij op en keek de andere twee recht in het gezicht. Zijn ogen, nog nat van de tranen vlamden van woede.
'Dat was een smerige rotstreek,' schreeuwde hij. 'Dat was een stomme onzinnige vuile rotstreek. Jullie zijn een stelletje achterlijke idioten! Jullie hadden doodgeschoten moeten worden in plaats van de zwaan! Jullie zijn 't niet waard om te leven!'
Daar stond hij, zo lang als hij zich maar kon maken, indrukwekkend in zijn woede, tegenover de twee grote jongens, zonder zich er nog om te bekommeren wat zij met hem zouden doen.
Arie sloeg hem niet dit keer. Hij leek eerst een heel klein beetje van zijn stuk gebracht door deze uitbarsting, maar hij herstelde zich al vlug. En nu plooiden zijn slappe lippen zich tot een sluwe nattige grijns en begonnen zijn dicht bij elkaar staande oogjes boosaardig te glinsteren.
'Dus jij houdt van zwanen, hè?' vroeg hij zachtjes.
'Ik houd van zwanen en ik haat jullie!' schreeuwde Peter.
'En heb ik 't goed,' ging Arie nog steeds grijnzend verder, 'heb ik het absoluut goed, dat jij zou willen dat deze ouwe zwaan hier nog leefde?'
'Wat een stomme vraag,' schreeuwde Peter.
'Hij moet een klap voor z'n donder hebben,' zei Raymond.
'Wacht,' zei Arie, 'ik zal dit varkentje wel effe wassen.' Hij wendde zich weer tot Peter. 'Dus als ik kon maken dat deze zwaan weer levendig was en weer rond kon vliegen, dan zou je blij zijn, okee?'
'Nog zo'n stomme vraag!' riep Peter. 'Wie denk je wel dat je bent?'
'Dat zal ik je precies vertellen,' zei Arie. 'Ik ben een tovenaar, dat ben ik. En alleen om jou blij en tevreden te maken zal ik een toverkunst doen waardoor deze dooie zwaan weer gaat leven en weer rond gaat vliegen.'
'Onzin!' zei Peter. 'Ik ga weg.'
Hij draaide zich om en begon weg te lopen.
'Pak 'm,' zei Arie.
Raymond pakte hem.

'Laat me los!' riep Peter.
Raymond sloeg hem hard in zijn gezicht.
'Nou, nou,' zei hij, 'niet vechten met tantetje, tenminste als je heel wil blijven.'
'Geef me je mes,' zei Arie en stak zijn hand uit. Raymond gaf hem zijn mes.
Arie knielde bij de dode zwaan en strekte een van haar enorme vleugels uit. 'Let nou es op,' zei hij.
'Wat ga je nou uithalen?' vroeg Raymond.
'Dat zal je wel zien,' zei Arie. En hij begon nu met het mes de grote witte vleugel van het zwanelijf los te snijden.
Er zit een gewricht op de plek waar de vleugel aan de zijde van de vogel vastzit, en Arie zocht dat gewricht op, zette het mes erin en sneed de pees door. Het mes was vlijmscherp en het duurde niet lang of de vleugel was los.
Arie draaide de zwaan om en sneed de andere vleugel af.
'Touw,' zei hij, en stak zijn hand uit naar Raymond.
Raymond die Peters arm stevig vasthield, keek geboeid toe. 'Waar hê je dat nou geleerd, om vogels te slachten?' vroeg hij.
'Op kippen,' zei Arie, 'vroeger jatten we altijd kippen van boer Willemsen, en dan sneden we ze in stukken en verkwanselden die bij een poelier in de stad. Geef me nou touw.'
Raymond gaf hem de rol touw.
Arie sneed er zes stukken af, ieder van ongeveer een meter. Boven aan de vleugel van de zwaan zitten een stel stevige botten. Arie nam een van de vleugels en begon de touwtjes met het ene eind aan de bovenkant van de grote vleugel vast te knopen. Toen hij dat gedaan had, tilde hij de vleugel met de zes touwtjes eraan op en zei tegen Peter: 'Steek je arm uit.'
'Je bent hartstikke gek!' gilde het jongetje. 'Totaal krankzinnig!'
'Laat 'm z'n armen uitsteken,' zei Arie tegen Raymond.
Raymond hield een gebalde vuist voor Peters gezicht en duwde die zachtjes tegen zijn neus. 'Zie je dit,' zei hij, 'nou daarmee ga ik je smoel inslaan als je niet precies doet, wat je gezegd wordt, begrepen? Steek nou die arm uit als een braaf jochie.'

Peter voelde zijn verzet wegebben. Hij kon niet langer tegen deze lieden op. Een paar tellen staarde hij naar Arie. Arie zag er met die kleine dicht bij elkaar staande kraaloogjes uit alsof hij tot alles in staat was als hij echt boos werd. Peter voelde op dat moment dat Arie makkelijk iemand zou kunnen vermoorden als hij kwaad werd. Arie, dat gevaarlijke, achterlijke kind, speelde nu een spelletje en het zou heel onverstandig zijn zijn plezier te bederven. Peter stak een arm uit.

Arie begon de zes touwtjes een voor een aan Peters arm te binden, en toen hij klaar was zat de witte zwanevleugel stevig over de hele lengte aan de arm vastgemaakt.

'Wat vind je daarvan?' vroeg Arie terwijl hij een stap naar achteren deed en zijn werk inspecteerde.

'Nou de andere,' zei Raymond die doorkreeg wat Arie van plan was. 'Je kan 'm toch niet met maar één vleugel door de lucht laten vliegen?'

'De andere vleugel komt eraan,' zei Arie. Hij knielde weer neer en bond zes nieuwe touwtjes aan de bovenkant van de tweede vleugel. Toen stond hij weer op.

'Kom op met je andere arm,' zei hij. Peter die zich misselijk en volslagen belachelijk voelde, stak zijn andere arm uit. Arie bond de vleugel er stevig aan vast.

'Alsjeblieft!' riep Arie. Hij klapte in zijn handen en deed een dansje op het gras. 'Daar hebben we waarachtig weer een nieuwe echte levendige zwaan! Zei ik 't niet da'k een tovenaar was? Zei ik 't niet dat ik die dooie zwaan met mijn toverkunst weer kon laten leven en laten rondvliegen? Zei ik 't niet?'

Daar stond Peter in de zonneschijn naast het meer op deze prachtige meimorgen met de enorme, slappe en een beetje bloederige vleugels die potsierlijk aan weerskanten van zijn lichaam bungelden. 'Ben je klaar?' vroeg hij.

'Zwanen praten niet,' zei Arie. 'Houd je rotsnavel dicht! En spaar je krachten maar, snotneus, want die zul je hard nodig hebben om door de lucht te vliegen.' Arie raapte zijn geweer op, greep Peter met zijn vrije hand in zijn nekvel en zei: 'Lopen!'

Ze liepen langs de oever van het meer tot ze bij een hoge, sierlijke wilg kwamen. Daar stonden ze stil. De boom was een treurwilg. De lange takken hingen van grote hoogte omlaag tot ze bijna het wateroppervlak raakten.
'En nou gaat onze toverzwaan effetjes een stukkie tovervliegen weggeven,' kondigde Arie aan. 'Wat jij dus gaat doen, meneertje Zwaan, is naar het topje van deze boom klimmen en als je daar bent ga je je vleugels uitspreiden als een zoet zwanepaantje en dan ga je de lucht in.'
'Fantastisch!' riep Raymond. 'Reusachtig! Een prima idee!'
'Vinnik ook,' zei Arie. 'Nou zullen we dan es zien hoe knap dat knappe zwanepaantje nou eigenlijk precies is. Hij is o zo knap op school, dat weten we allemaal, en hij is de beste van de klas en een echte bolleboos. Maar nou es precies kijken hoe knap hij eigenlijk is, als ie daar boven in een boom zit! Hè, meneertje Zwaan?'
Hij gaf Peter een zet in de richting van de boom.
Hoe veel verder zou deze waanzin nog kunnen gaan? vroeg Peter zich af. Hij begon zich zelf ook een beetje waanzinnig te voelen, alsof niets meer echt was en niets van dit alles waar gebeurde. Maar het idee om boven in die boom te zitten, eindelijk buiten het bereik van deze schoften, was erg aantrekkelijk.
Wanneer hij daarboven zat, kon hij daar blijven. Hij geloofde dat ze nooit de moeite zouden nemen achter hem aan te klimmen. En zelfs als ze dat wel deden, kon hij toch zeker uit hun handen blijven op een dunne tak die geen twee mensen zou kunnen houden.
De boom was vrij gemakkelijk om in te klimmen. Er waren verschillende lage takken om mee te beginnen. Hij begon te klimmen. De reusachtige witte vleugels, die aan zijn armen bungelden, zaten hem steeds in de weg maar dat was onbelangrijk. Wat Peter nu belangrijker vond was dat hij bij elke centimeter hoger een centimeter verder van zijn kwelgeesten beneden verwijderd raakte. Hij was nooit zo'n erge bomenklimmer geweest en hij was er niet goed in, maar niets ter wereld zou hem nu tegen kunnen houden de top van deze boom te bereiken. En als hij daar eenmaal was, zouden ze hem vast niet meer kunnen zien door de bladeren.

'Hoger!' schreeuwde Arie's stem. 'Doorgaan!'
Peter ging door en op een gegeven ogenblik was hij op een punt dat hij onmogelijk verder kon. Met zijn voeten stond hij op een tak, die ongeveer zo dik was als een pols, en deze tak nu reikte tot ver over het meer en boog zich daarna sierlijk naar beneden. Alle takken boven hem waren erg dun en zwiebelig maar de tak waar hij zich aan vasthield was daar net sterk genoeg voor. Daar stond hij en rustte uit van zijn klimpartij. Voor het eerst keek hij naar beneden. Hij stond heel hoog, minstens vijftien meter. Maar de twee jongens kon hij niet zien. Ze stonden niet meer aan de voet van de boom. Zou het kunnen dat ze eindelijk weg waren?
'Okee, meneertje Zwaan!' klonk de gevreesde stem van Arie. 'Luister nou goed!'
Het tweetal was een eindje van de boom af gelopen, naar een plaats vanwaar zij het kleine jongetje bovenin duidelijk konden zien. Op hen neerkijkend besefte Peter hoe dun en iel de bladeren van een treurwilg zijn. Ze boden hem nauwelijks dekking.
'Luister goed, meneer Zwaan!' schreeuwde de stem. 'Loop de tak waar je op staat af! Ga door tot je precies boven het lekker modderige water bent! Dan ga je hoep de lucht in!'
Peter verroerde zich niet. Hij stond vijftien meter boven hen en ze zouden toch nooit bij hem kunnen komen.
Het bleef lange tijd stil daar beneden. Het duurde misschien wel een halve minuut. Hij hield zijn ogen op de twee verre figuurtjes in het weiland gericht. Ze stonden doodstil naar hem omhoog te kijken. 'Goed dan, meneertje Zwaan!' klonk Arie's stem weer. 'Ik tel tot tien, en als je dan die vleugels niet gespreid hebt en bent weggevlogen, dan haal ik je wel naar beneden met dit lekkere geweertje! En dat wordt dan de tweede zwaan die ik vandaag schiet! Daar gaan we dan, meneer Zwaan! Een... twee... drie... vier... vijf... zes...!'
Peter bleef roerloos staan. Niets zou hem er nu meer toe kunnen brengen om nog een vin te verroeren.
'Zeven... acht... negen... tien!'
Peter zag het geweer omhoog gaan. De loop was recht op hem

gericht. Toen hoorde hij de *krak* van het geweer en de *ziz* van de kogel die rakelings langs zijn hoofd floot. Het was een angstaanjagend gebeuren. Maar nog steeds verroerde hij zich niet. Hij zag dat Arie het geweer opnieuw laadde.
'Je laatste kans!' gilde Arie. 'De volgende is raak!'
Peter bleef waar hij was. Hij wachtte. Hij keek naar de jongen die ver beneden hem in het weiland tussen de boterbloemen stond, met de andere jongen ernaast. Het geweer ging opnieuw omhoog tegen de schouder.
Dit keer hoorde hij de *krak* en op hetzelfde moment raakte de kogel hem in zijn heup. Hij voelde geen pijn, maar de kracht ervan was vernietigend. Het was alsof iemand hem met een moker op zijn been beukte en het sloeg allebei zijn voeten van de tak waar hij op stond. Hij graaide met zijn handen om zich vast te houden. De kleine tak, waar hij zich aan vastklampte, boog door en spleet.
Er zijn mensen die, als het ze teveel wordt en het uiterste wat ze kunnen verdragen overschreden wordt, gewoonweg in elkaar zakken en opgeven. Maar er zijn anderen, al zijn 't er niet veel, die om de een of andere reden onoverwinnelijk zijn. Je komt ze tegen in oorlogstijd, maar ook in vredestijd. Ze bezitten een ontembare geestkracht en niets, pijn noch martelingen noch de dreiging van de dood, maakt dat ze ooit opgeven. Kleine Peter Walters was een van deze laatsten. En terwijl hij vocht en spartelde om niet uit de top van de boom te vallen, zag hij plotseling in dat hij ging winnen. Hij keek op en zag een licht over het water van het meer schijnen van een zo glinsterende en schitterende schoonheid dat hij er zijn ogen niet van af kon houden. Het licht wenkte hem, lokte hem en hij dook naar dat licht en spreidde zijn vleugels uit.
Drie verschillende mensen meldden dat ze die morgen een grote witte zwaan rond het dorp hadden zien vliegen: een schooljuffrouw die Emmie Maartens heette, een man die bezig was dakpannen te leggen op het dak van de apotheek en die Willem Gerlings heette, en ook een jongen, Jan Bosman, die net zijn modelvliegtuigje aan het uitproberen was op een weitje in de buurt.
En die ochtend keek mevrouw Walters, die de afwas stond te doen

bij het keukenaanrecht, toevallig juist door het raam op het moment dat iets reusachtigs, wits omlaag kwam fladderen op het grasveld in haar achtertuin.
Ze rende naar buiten. Ze liet zich op haar knieën vallen naast de kleine in elkaar gezakte gestalte van haar enige zoon.
'O mijn lieveling!' riep ze, buiten zichzelf, terwijl ze haar eigen ogen nauwelijks kon geloven, 'mijn lieve jongen! Wat is er met je gebeurd?'
'Mijn been doet pijn,' zei Peter, terwijl hij zijn ogen opsloeg. Toen viel hij flauw.
'Je bloedt!' riep ze. Ze tilde hem op en droeg hem naar binnen. Vlug belde ze de dokter en de ziekenauto. En terwijl ze op hulp wachtte, haalde ze een schaar en begon de touwtjes door te knippen waarmee de twee grote zwanevleugels aan de armen van haar zoon vastzaten.

Het wonderlijk verhaal van Hendrik Meier

Hendrik Meier was eenenveertig jaar oud en ongetrouwd. Hij was ook rijk. Hij was rijk omdat hij een rijke vader had gehad, die nu dood was. Hij was ongetrouwd omdat hij te egoïstisch was om ook maar iets van zijn geld te delen met een vrouw.
Hij was een meter vijfentachtig lang, maar hij was niet zo knap als hij dacht dat hij was.
Hij was heel precies op kleren. Hij ging naar een heel dure kleermaker voor zijn pakken, naar een overhemdenmaker voor zijn overhemden en naar een speciale schoenmaker voor zijn schoenen. Hij gebruikte peperdure aftershave voor zijn gezicht en hield zijn handen zacht met een crème waar schildpadolie in zat.
Zijn kapper knipte om de tien dagen zijn haar bij en hij liet dan tegelijkertijd zijn handen en nagels verzorgen door een manicure.
Zijn voortanden boven hadden een nogal viezige gele kleur gehad; daarom had hij er ongelooflijk dure stifttanden op laten zetten.
Een kleine moedervlek was van zijn linkerwang weggehaald door een plastisch chirurg. Hij reed in een Ferrari, die hem bijna net zoveel gekost moet hebben als een buitenhuis.
's Zomers woonde hij in Londen, maar zodra de eerste nachtvorst kwam in oktober, verdween hij naar de Westindische eilanden of Zuid-Frankrijk, waar hij bij vrienden logeerde. Al zijn vrienden waren rijk, omdat zij ook geld geërfd hadden.
Hendrik had nog nooit van zijn leven één dag gewerkt en zijn lijfspreuk, die hij zelf bedacht had, was dan ook: 'Liever een licht verwijt dan een zware taak.' Zijn vrienden vonden dat om je dood te lachen.
Mensen zoals Hendrik Meier vind je over de wereld ronddobberen als zeewier. Je ziet ze vooral in Londen, New York, Parijs, Nassau, Montego, Cannes en St. Tropez. Het zijn niet bijzonder slechte mensen. Maar goed zijn zo ook niet. Ze zijn van geen belang. Ze zijn gewoon versiering.
Al die rijke mensen hebben een eigenaardig trekje gemeen: ze heb-

ben een geweldige drang om nog rijker te worden dan ze al zijn. Een miljoen is nooit genoeg. Twee miljoen ook niet. Altijd hebben ze een onstilbare honger naar nog meer geld. En dat komt omdat ze voortdurend in angst leven op een morgen wakker te worden en te ontdekken dat er niets meer op de bank staat.
Deze mensen proberen allemaal op dezelfde manier hun vermogen te vergroten. Ze kopen aandelen en obligaties en kijken hoe ze stijgen en dalen. Ze spelen roulette en eenentwintigen met hoge inzetten in casino's. Ze wedden op paarden. Ze wedden op van alles en nog wat. Hendrik Meier had eens tienduizend gulden ingezet op de uitslag van een schildpaddenrace op Lord Liverpools tennisbaan. En hij had het dubbele van dat bedrag ingezet bij een nog onnozeler weddenschap met een man, die Eduard Haenen heette. Daarbij ging het om het volgende: ze lieten Hendriks hondje uit in de tuin en keken door het raam. Maar voor de hond uitgelaten werd, moesten ze allebei raden bij welk voorwerp het hondje het eerst zijn poot op zou tillen. Zou het een muur zijn, een paal, een struik of een boom? Eduard koos de muur. Hendrik, die de gewoonten van zijn hondje al dagen tevoren bestudeerd had met het oog op deze weddenschap, koos een boom en hij won het geld.
Met zulke belachelijke spelletjes probeerden Hendrik en zijn vrienden de dodelijke verveling van het rijk zijn en niets doen de baas te worden.
Hendrik zelf, zoals je gemerkt zult hebben, was niet te goed om een beetje vals te spelen tegenover zijn vrienden als hij de kans kreeg. Die weddenschap met het hondje was niet bepaald eerlijk. En als je het weten wilt: de weddenschap op de schildpaddenrace ook niet. Hendrik speelde vals door een uur voor de wedstrijd stiekem een stukje van een slaappil in de bek van de andere schildpad te stoppen.
En nu je een beetje een indruk hebt van het soort man dat Hendrik Meier was, kan ik met mijn verhaal beginnen.

Op een weekend in de zomer reed Hendrik van Londen naar het landgoed van Sir William Winters. Het huis was magnifiek en de

landerijen ook, maar toen Hendrik daar op zaterdagmiddag aankwam goot het al van de regen. Tennis was onmogelijk, croquet was onmogelijk. En zwemmen in Sir William Winters buitenzwembad ook. De gastheer en zijn gasten zaten mistroostig in de salon te staren naar de regen die tegen de ramen kletterde. De hele rijken zijn ontzettend rancuneus over slecht weer. Dat is het enige ongemak waar al hun geld niets aan kan doen.
Iemand in de kamer zei: 'Laten we canasta spelen met lekker hoge inzetten.'
De anderen vonden dit een prima idee, maar omdat er vijf mensen waren zou er een uit moeten vallen. Ze trokken kaarten. Hendrik trok de laagste, de ongelukskaart.

De andere vier gingen zitten spelen. Hendrik had de pest in dat hij niet mee kon doen. Hij drentelde de salon uit, de grote hall in. Hij staarde een poosje naar de schilderijen, toen liep hij verder door het huis, zich doodvervelend omdat hij niets te doen had. Ten slotte kwam hij in de bibliotheek terecht.
Sir Williams vader was een beroemd boekenverzamelaar geweest en alle vier de muren van deze grote kamer waren van de vloer tot de zolder bekleed met boeken. Hendrik Meier was niet onder de indruk. Hij was niet eens geïnteresseerd. De enige boeken die hij las, waren detectives en avonturenboeken. Hij slenterde doelloos de kamer rond om te zien of hij een boek kon vinden dat hij leuk vond. Maar alle boeken in de bibliotheek van Sir William waren in leer gebonden dikke delen met namen erop zoals Balzac, Ibsen, Voltaire, Johnson en Pepys. En hij stond op het punt om weg te lopen, toen zijn oog viel op een boekje dat er heel anders uitzag dan alle andere. Het was zo dun, dat het hem nooit zou zijn opgevallen als het niet een eindje tussen de boeken ernaast had uitgestoken. En toen hij het van de plank trok, zag hij dat het eigenlijk niet meer was dan een dik schrift met een kartonnen kaft, zoals kinderen op school gebruiken. Het kaft was donkerblauw, maar er stond niets op. Hendrik deed het open. Op de eerste bladzij stond met de hand geschreven:

VERSLAG VAN EEN VRAAGGESPREK MET IMHRAT KHAN

DE MAN DIE KON ZIEN ZONDER OGEN

Door dr. John F. Cartwright

Bombay, India, december 1934

Dat klinkt wel interessant, zei Hendrik tegen zichzelf. Hij sloeg een bladzij om. Wat daarna kwam was allemaal met de hand geschreven met zwarte inkt. Het handschrift was duidelijk en netjes. Hendrik las de eerste twee bladzijden staande. Plotseling merkte hij dat hij door wilde lezen. Dit was lang niet gek. Het was fascinerend. Hij nam het boekje mee naar een leren armstoel bij het raam en maakte het zich gemakkelijk. Toen begon hij weer te lezen.

Dit las Hendrik in het blauwe schrift:

Ik, John Cartwright, ben chirurg bij het Bombay-ziekenhuis. Op de morgen van de tweede december 1934 zat ik thee te drinken in de dokterskamer. Ik was daar met drie andere artsen voor een welverdiende theepauze. Dr. Marshall, dr. Phillips en dr. Mac Farlane. Er werd geklopt. 'Binnen,' zei ik.

De deur ging open en een Indiase man kwam binnen. Hij glimlachte ons toe en zei: 'Neemt u me niet kwalijk alstublieft. Zou ik de heren een gunst mogen vragen?'

De dokterskamer was een bijzonder besloten vertrek. Niemand anders dan artsen mogen daar binnenkomen, behalve in noodgevallen.

'Dit is een privé-vertrek,' zei dr. Mac Farlane scherp.

'Ja, ja,' antwoordde de Indiër, 'dat weet ik en het spijt me heel erg om zo bij u binnen te vallen, maar ik heb u iets heel interessants te laten zien.'

We waren alle vier behoorlijk geërgerd en zeiden niets. 'Heren,' zei hij, 'ik ben iemand die kan zien zonder zijn ogen te gebruiken.'

Nog steeds vroegen we hem niet door te gaan. Maar we gooiden hem er ook niet uit.

'U kunt mijn ogen bedekken met wat u maar wilt,' zei hij. 'U kunt mijn ogen met vijftig rollen verband omwikkelen en dan kan ik u nog een boek voorlezen.'

Hij leek doodernstig. Ik begon nu nieuwsgierig te worden. 'Kom eens hier,' zei ik. Hij kwam naar me toe. 'Draai je om.' Hij draaide zich om. Ik legde mijn handen goed over zijn ogen, terwijl ik zijn oogleden naar beneden hield. 'En nu,' zei ik, 'zal een van de andere artsen in de kamer een paar vingers opsteken. Zeg maar hoeveel hij er opsteekt.'
Dr. Marshall stak zeven vingers op. 'Zeven,' zei de man.
'Nog eens,' zei ik.
Dr. Marshall balde zijn vuisten en verstopte al zijn vingers.
'Niet een,' zei de Indiër.
Ik trok mijn handen van zijn ogen. 'Niet slecht,' zei ik.
'Wacht eens,' zei dr. Marshall. 'Laten we dit proberen.' Er hing een witte doktersjas aan een knop van de deur. Dr. Marshall pakte hem en maakte er een soort langwerpige rol van. Hij wikkelde deze om het hoofd van de Indiër en hield de uiteinden stevig vast aan de achterkant.
'Probeer het nog eens,' zei hij. Ik haalde een sleutel uit mijn zak.
'Wat is dit?' vroeg ik.
'Een sleutel,' antwoordde hij. Ik deed de sleutel terug en hield mijn hand omhoog zonder iets erin. 'Wat is dit voorwerp?' vroeg ik hem.
'Er is geen voorwerp,' zei de man. 'U hebt niets in uw hand.'
Dr. Marshall haalde de jas voor de ogen van de man weg. 'Hoe doe je dat?' vroeg hij. 'Wat is de truc?'
'Er is geen truc,' zei de Indiër. 'Het is iets echts, wat ik mezelf door jaren van oefenen heb bijgebracht.'
'Wat voor oefeningen?' vroeg ik.
'Vergeeft u mij, mijnheer,' zei hij,' maar dat is mijn zaak.'
'Waarom kwam u dan hier?' vroeg ik.
'Ik kwam u om een gunst verzoeken,' zei hij.
Het was een lange man van een jaar of dertig met een lichtbruine huid, de kleur van een kokosnoot. Hij had een klein zwart snorretje. Ook had hij vreemde plukjes zwart haar op de buitenkant van zijn oren. Hij droeg een wit katoenen gewaad en hij had sandalen aan zijn blote voeten.

'Ziet u, heren,' ging hij verder, 'ik verdien op het ogenblik mijn brood bij een rondreizend theatergezelschap en we zijn zojuist in Bombay aangekomen. Vanavond geven wij onze eerste voorstelling.'
'Waar geeft u die,' vroeg ik.
'In het Royal Palace-theater,' antwoordde hij, 'in de Acaciastraat. Ik ben de hoofdattractie. Ik sta op het programma als: Imhrat Khan, de man die kan zien zonder ogen. En het is mijn plicht heel veel reclame te maken voor de show. Als we geen kaartjes verkopen, hebben we niets te eten.'
'Wat hebben wij daarmee te maken?'
'Heel interessant voor u,' zei hij. 'Heel amusant. Ik zal het u uitleggen.
Kijk, steeds wanneer wij in een nieuwe stad komen, ga ikzelf meteen naar het grootste ziekenhuis en vraag de doktoren daar mijn ogen te verbinden. Ik vraag ze dat zo deskundig mogelijk te doen. Ze moeten ervoor zorgen dat mijn ogen totaal bedekt zijn met verschillende lagen. Het is belangrijk dat dat door dokters gedaan wordt, anders denken de mensen dat ik ze voor de gek houd. En wanneer ik helemaal onder het verband zit, ga ik de straat op en doe iets gevaarlijks.'
'Wat bedoel je daarmee?' vroeg ik.
'Ik bedoel dat ik iets doe wat heel gevaarlijk is voor iemand die niet kan zien.
Dat is heel interessant,' zei hij. 'En u zult het me zien doen als u zo vriendelijk wilt zijn me eerst te verbinden. Ik zou het als een grote gunst beschouwen, heren, als u dit voor mij zoudt willen doen.'

Ik keek de andere drie dokters aan. Dr. Phillips zei dat hij terug moest naar zijn patiënten.
Dr. Mac Farlane zei hetzelfde.
Dr. Marshall zei: 'Ach waarom niet? Het kan best amusant zijn. En het is in een wip gebeurd.'
'Ik doe mee,' zei ik, 'maar laten we het echt goed doen. Laten we

er voor zorgen, dat hij geen barst meer ziet.'
'U bent werkelijk buitengewoon vriendelijk,' zei de Indiër. Doet u alstublieft precies wat u wilt.'
Dr. Phillips en dr. Mac Farlane gingen de kamer uit.
'Laten we voor we het verband aanbrengen,' zei ik tegen dr. Marshall, 'eerst zijn ogen verzegelen. En als we dat gedaan hebben, vullen we zijn oogkassen op met iets zachts, stevigs en kleverigs.'
'Wat dan?' vroeg dr. Marshall.
'Wat vind je van deeg?'
'Deeg zou ideaal zijn,' zei dr. Marshall.
'Goed dan,' zei ik. 'Als jij nu even langs de ziekenhuiskeuken gaat en wat deeg haalt, dan zal ik hem meenemen naar de spreekkamer en zijn ogen verzegelen.'
Ik nam de man mee de dokterskamer uit, door de lange ziekenhuisgang naar de spreekkamer. 'Ga hier maar liggen,' zei ik en wees op de onderzoektafel. Hij ging liggen. Ik haalde een klein flesje uit de kast. Het had een druppelaar aan het dopje. 'Dit spul heet collodion,' zei ik tegen hem. 'Dat zal hard worden op je gesloten oogleden, zodat je ze onmogelijk open kan krijgen.'
'Hoe krijg ik het er straks weer af?' vroeg hij.
'Het lost meteen op in alcohol,' zei ik. 'Het is volkomen onschadelijk. Doe je ogen nu maar dicht.'
De man sloot zijn ogen. Ik bracht op beide oogleden collodion aan. 'Blijf ze dicht houden,' zei ik. 'Je moet wachten tot het hard geworden is.'
In een paar minuten had de collodion een harde laag gevormd over de oogleden, zodat die dicht zaten. 'Probeer ze eens open te doen,' zei ik.
Hij probeerde het, maar het ging niet.
Dr. Marshall kwam binnen met een bakje deeg. Het was het gewone witte deeg, waar brood van gebakken wordt. Het was mooi zacht. Ik nam wat deeg en legde het op een van zijn ogen. Ik vulde de hele oogkas op en liet het deeg ook een stukje huid eromheen bedekken. Toen drukte ik de randen stevig aan. Met het andere oog deed ik hetzelfde.

'Dat zit toch niet al te ongemakkelijk, is het wel?' vroeg ik.
'Nee,' zei de Indiër. 'Het is prima zo.'
'Doe jij het verband maar,' zei ik tegen dr. Marshall. 'Mijn vingers zijn te kleverig.'
'Met alle plezier,' zei dr. Marshall. 'Let maar eens op.' Hij nam een dikke prop watten en legde die boven op de laag deeg. De watten bleven aan het deeg vastkleven.
'Ga eens zitten, alstublieft,' zei dr. Marshall.
De man ging rechtop zitten.
Dr. Marshall nam een rol verband van zeven centimeter breed en begon dit om het hoofd van de man te wikkelen. Het verband hield de watten en het deeg stevig op hun plaats. Dr. Marshall spelde het verband vast. Daarna nam hij een tweede rol en begon die niet alleen om de ogen van de man maar ook om zijn hele gezicht en hoofd te wikkelen.
'Laat u alstublieft mijn neus vrij om adem te halen,' vroeg de Indiër.
'Natuurlijk,' antwoordde dr. Marshall. Hij maakte het karweitje af en speldde het uiteinde van het verband vast. 'Zo goed?' vroeg hij.
'Uitstekend,' zei ik. 'Daar kan hij heus op geen enkele manier doorheen kijken.'
Het hele hoofd van de man was nu omzwachteld met dik, wit verband en het enige wat je van hem kon zien was het puntje van zijn neus, dat eruit stak. Hij zag er uit als een man die een of andere verschrikkelijke hersenoperatie heeft ondergaan.
'Hoe voelt dat?' vroeg dr. Marshall hem.
'Prima,' zei de Indiër. 'Ik maak u mijn compliment, heren. U heeft goed werk verricht.'
'Nou ga je gang maar,' zei dr. Marshall grijnzend naar mij. 'Laat maar es zien hoe goed je nu nog kan kijken.'
De man stond van het bed op en liep regelrecht naar de deur. Hij deed de deur open en ging naar buiten.
'Grote goedheid!' zei ik. 'Zag je dat? Hij legde zijn hand precies op de deurknop!'
Dr. Marshall grijnsde nu niet meer.

Hij was wit weggetrokken. 'Ik ga achter hem aan,' zei hij en rende naar de deur. Ik rende ook naar de deur.
De Indiër liep doodgewoon door de gang van het ziekenhuis. Dr. Marshall en ik liepen zo'n vijf meter achter hem aan. En het was behoorlijk griezelig om die man met dat enorme, witte, totaal verbonden hoofd zo nonchalant door de gang te zien lopen net als iedereen.
Het was helemaal griezelig omdat je zo precies wist dat zijn oogleden verzegeld waren en zijn oogkassen vol deeg zaten met daar boven op nog eens een grote prop watten en verband.
Ik zag een inheemse verpleger door de gang op hem toe komen lopen. Hij duwde een etenswagentje. Plotseling kreeg de verpleger de man met het witte hoofd in de gaten en bleef stokstijf staan. De Indiër ging achteloos opzij voor het wagentje en liep door.
'Hij zag het!' riep ik. 'Hij moet dat wagentje gezien hebben! Hij liep er gewoon omheen! Dit is absoluut ongelooflijk!'
Dr. Marshall zei niets terug. Alle kleur was uit zijn wangen weggetrokken, zijn hele gezicht was verstard van geschokt ongeloof.
De man kwam bij de trap en begon die af te gaan. Hij liep zonder enige moeite naar beneden. Hij hield zich niet eens aan de leuning vast. Verscheidene mensen kwamen de trap op. Stuk voor stuk stonden ze stil, staarden hem met open mond aan en gingen haastig opzij.
Onderaan de trap sloeg de Indiër rechtsaf en ging op de buitendeuren af. Dr. Marshall en ik bleven vlak achter hem.
De ingang van ons ziekenhuis is een eindje van de straat af en vanaf de ingang leidt een nogal indrukwekkend aantal treden omlaag naar een klein pleintje met acaciabomen eromheen.
Dr. Marshall en ik kwamen naar buiten in de felle zon en bleven boven aan de trap staan. Op het pleintje beneden ons zagen we een menigte van misschien wel honderd mensen. Minstens de helft daarvan bestond uit kinderen op blote voeten en toen onze Indiër met het witte hoofd de treden af liep, begonnen ze allemaal te juichen en te schreeuwen en naar hem toe te dringen. Hij begroette hen met twee handen boven zijn hoofd.

Plotseling zag ik de fiets. Hij stond opzij onder aan de trap en werd vastgehouden door een klein jongetje. De fiets zelf was heel gewoon, maar achterop was op de een of andere manier een enorm reclamebord van anderhalve meter in het vierkant vastgemaakt.
Op het bord stonden de volgende woorden te lezen:

IMHRAT KHAN,
DE MAN DIE KAN ZIEN ZONDER OGEN!
VANDAAG ZIJN MIJN OGEN
DOOR ZIEKENHUISDOKTERS VERBONDEN!
Voorstellingen vanavond en de verdere week in:
Het Royal Palace-theater
Acaciastraat, 7 uur
GRIJP UW KANS!
KOMT HET WONDER ZIEN!

Onze Indiër was nu beneden en liep regelrecht naar de fiets. Hij zei iets tegen de jongen en de jongen glimlachte. De man stapte op de fiets. De menigte maakte ruimte voor hem. En, ja hoor, daar reed die vent met zijn verzegelde, verbonden ogen over het plein recht het drukke, toeterende verkeer van de straat ernaast in!
De mensen juichten nog luider dan ooit. De kinderen renden op blote voeten achter hem aan, gillend en lachend. Ongeveer een minuut lang konden we hem nog zien. We zagen hoe subliem hij de drukke straat met voorbijsuizende auto's afreed, met een troep kinderen in zijn kielzog. Toen sloeg hij een hoek om en verdween uit het gezicht.
'Ik voel me bepaald duizelig,' zei dr. Marshall, 'ik kan het maar niet geloven.'
'We moeten het wel geloven,' zei ik. 'Hij heeft met geen mogelijkheid het deeg onder het verband uit kunnen halen. We hebben hem geen seconde uit het oog verloren. En wat het spul op zijn oogleden betreft: het zou hem zeker vijf minuten hebben gekost om het er met alcohol en watten af te krijgen.'

'Weet je wat ik denk?' zei dr. Marshall. 'Ik denk, dat we een wonder gezien hebben.'
We keerden om en liepen langzaam het ziekenhuis in.
De rest van de dag was ik druk bezig met mijn patiënten in het ziekenhuis. Om zes uur 's avonds was ik vrij en reed naar mijn flat om te douchen en schone kleren aan te trekken. Het was de heetste tijd van het jaar in Bombay en zelfs na zonsondergang was het er nog zo heet als in een open oven.
Zelfs al bleef je zitten zonder iets te doen, dan nog droop het zweet langs je lijf. De hele dag door glom je gezicht van de nattigheid en bleef je overhemd aan je borst kleven. Ik nam een lange koude douche. Ik dronk een whisky-soda op de veranda, met alleen een handdoek om mijn middel.
Toen trok ik schone kleren aan.
Om tien voor zeven stond ik voor het Royal Palace-theater in de Acaciastraat.
Dat stelde niet veel voor. Het was een van die kleine verwaarloosde zaaltjes die je voor weinig geld kunt huren voor verenigingsavonden en feestjes. Er stond een behoorlijke massa Indiërs te dringen voor het loket en een groot reclamebord boven de ingang kondigde aan dat 'Het Internationale Theatergezelschap' daar de hele week elke avond optrad. Er stond dat er jongleurs, goochelaars, acrobaten, degenslikkers, vuurvreters en slangenbezweerders en een toneelstukje getiteld *De radja en het tijgermeisje* te zien zouden zijn. Maar daarboven stond in de allergrootste letters IMHRAT KHAN, DE WONDERMAN, DIE KAN ZIEN ZONDER OGEN.
Ik kocht een kaartje en ging naar binnen.
De voorstelling duurde twee uren. Tot mijn verbazing amuseerde ik me kostelijk. Alle artiesten waren uitstekend. Ik had plezier in de man die jongleerde met kookgerei. Hij liet een steelpannetje, een koekepan, een bakplaat, een grote schaal en een soeppan allemaal tegelijk door de lucht vliegen. De slangenbezweerder had een grote groene slang, die bijna op het uiterste puntje van zijn staart stond en heen en weer zwaaide op de tonen van de fluit. De vuurvreter at vuur en de degenslikker drukte een dunne scherpe degen meer

dan een meter ver zijn keel en maag in.
Als laatste kwam onder trompetgeschal onze vriend Imhrat Khan het toneel op voor zijn nummer. Het verband dat wij in het ziekenhuis hadden aangebracht was nu weggehaald.
Mensen uit het publiek werden het toneel op geroepen om hem te blinddoeken met lakens en sjaals en tulbanden, en ten slotte zat er zoveel om zijn hoofd gewikkeld dat hij nauwelijks zijn evenwicht kon bewaren. Toen werd hem een revolver aangegeven. Een klein jongetje kwam tevoorschijn en bleef aan de linkerkant van het toneel staan. Ik herkende het jongetje dat die ochtend de fiets had vastgehouden buiten het ziekenhuis. Het jongetje zette een blikje op zijn hoofd en bleef roerloos staan. Het publiek werd doodstil toen Imhrat Khan aanlegde. Hij vuurde. De knal deed ons allemaal opschrikken. Het blikje vloog van het hoofd van het jongetje af en kletterde op de vloer. Het jongetje raapte het op en toonde het kogelgat aan het publiek. Iedereen klapte en juichte. Het jongetje glimlachte.
Toen ging het jongetje tegen een houten scherm staan en gooide Imhrat Khan messen om zijn lichaam heen. De meeste er vlak naast. Dit was een schitterend nummer. Niet veel mensen hadden zelfs met niets over hun ogen die messen zo precies kunnen werpen. En hier was hij – die buitengewone kerel met zijn hoofd zo dik ingezwachteld dat het wel een grote sneeuwbal op een stokje leek – en gooide die scherpe messen in het scherm nog geen millimeter naast het hoofd van het jongetje. Het hele nummer door bleef het jongetje glimlachen, en toen het afgelopen was stampte het publiek met zijn voeten en krijste het uit van opwinding.
Imhrat Khans laatste nummer was misschien niet zo spectaculair, maar nog veel indrukwekkender. Een metalen ton werd het toneel opgedragen. Het publiek werd uitgenodigd om te kijken of er geen gaten in zaten. Er zaten geen gaten in. De ton werd vervolgens over Imhrat Khans omwonden hoofd geplaatst. Hij reikte over zijn schouders tot aan zijn ellebogen, waardoor zijn bovenarmen tegen zijn lichaam gedrukt werden. Maar hij kon nog wel zijn onderarmen en zijn handen uitsteken. Iemand gaf hem een naald en een draad

in de andere hand. Zonder één extra beweging deed hij keurig de draad door het oog van de naald.
Ik stond versteld.
Zodra de voorstelling was afgelopen ging ik achter het toneel. Ik vond Imhrat Khan in een kleine, maar schone kleedkamer, waar hij stil op een kruk zat. Het kleine Indiase jongetje was bezig de massa's sjaals en lakens van zijn hoofd af te winden.
'Ha,' zei hij. 'Mijn vriend, de dokter van het ziekenhuis. Komt u binnen.'
'Ik heb de voorstelling gezien,' zei ik.
'En wat vond u ervan?'
'Ik vond het heel goed. U was geweldig.'
'Dank u,' zei hij. 'Dat is een groot compliment.'
'Ik moet uw assistent ook feliciteren,' zei ik met een knikje naar het jongetje. 'Hij is erg dapper.'
'Hij spreekt geen Engels,' zei de man, 'maar ik zal hem zeggen wat u gezegd hebt.' Hij zei een paar snelle woorden in Hindi en de jongen knikte plechtig, maar zei niks.
'Hoor es,' zei ik. 'Ik heb vanmorgen iets voor u gedaan. Wilt u nu iets voor mij doen? Wilt u met mij meegaan en met mij dineren?'
Alle lappen waren nu van zijn hoofd verwijderd. Hij glimlachte naar me en zei: 'Ik geloof dat u nieuwsgierig bent, dokter. Is dat niet zo?'
'Erg nieuwsgierig,' zei ik. 'Ik zou graag met u praten.'
Opnieuw viel mij het bijzonder dikke, zwarte haar op, dat tot op zijn oren groeide. Ik had dat nooit eerder bij iemand gezien.
'Ik ben nog nooit door een dokter ondervraagd,' zei hij. 'Maar ik heb er geen bezwaar tegen. Ik zal graag met u dineren.'
'Zal ik in de auto wachten?'
'Ja graag,' zei hij. 'Ik moet me wassen en deze vieze kleren uittrekken.'
Ik vertelde hem hoe mijn auto eruit zag en zei dat ik buiten zou wachten.
Een kwartier later kwam hij naar buiten, in een schoon wit gewaad en met de gebruikelijke sandalen aan zijn blote voeten. En al gauw

zaten we op ons gemak in een klein restaurantje waar ik wel eens kom, omdat ze daar de lekkerste kerrieschotel van de stad maken. Ik dronk bier bij het eten. Imhrat Khan dronk limonade.
'Ik ben geen schrijver,' zei ik tegen hem. 'Ik ben dokter. Maar als u mij het hele verhaal van het begin tot het eind vertelt, als u mij uitlegt hoe u die magische kunst van het zien zonder ogen bent meester geworden, dan zal ik alles zo getrouw mogelijk opschrijven. En dan kan ik het misschien opgenomen krijgen in het *Medisch Journaal,* of wie weet in een of ander bekend tijdschrift. En omdat ik een dokter ben en niet zomaar een schrijver die een verhaaltje wil verkopen, zullen ze veel eerder geneigd zijn wat ik te vertellen heb serieus te nemen. Dat zou u toch helpen om meer bekendheid te krijgen is het niet?'
'Dat zou zeker helpen,' zei hij. 'Maar waarom zou u dat willen doen?'
'Omdat ik barst van nieuwsgierigheid,' antwoordde ik. 'Dat is de enige reden.'
Imhrat Khan nam een hap rijst en kauwde langzaam. Toen zei hij: 'Goed mijn vriend. Ik doe het.'
'Schitterend,' riep ik. 'Laten we dan na het eten meteen naar mijn flat gaan, dan kunnen we ongestoord praten.'
We aten ons eten op. Ik betaalde de rekening. Toen reed ik met Imhrat Khan naar mijn flat.

In de zitkamer pakte ik pen en papier, zodat ik aantekeningen kon maken. Ik heb een soort eigen steno, wat ik gebruik om de gegevens van patiënten te noteren en daarmee kan ik het grootste deel van wat iemand zegt opschrijven, als hij niet al te vlug praat. Ik denk wel dat ik zo ongeveer alles wat Imhrat Khan mij die avond vertelde woord voor woord heb opgeschreven en dit is het. Ik herhaal het precies zoals hij het vertelde.
'Ik ben een Indiër, een Hindoe,' zei Imhrat Khan,' en ik ben geboren in Kashmir in 1905. Mijn familie is arm. Mijn vader werkte bij de spoorwegen als kaartjescontroleur. Als ik een jongen van dertien jaar ben, komt een goochelaar op onze school optreden. Zijn naam,

herinner ik me, is professor Moor – alle goochelaars in India noemen zich professor – en hij doet erg goede trucs. Ik ben geweldig onder de indruk. Ik denk dat het echte tovenarij is. Ik voel – hoe zal ik het zeggen – ik voel een onweerstaanbaar verlangen zelf te leren toveren, dus loop ik twee dagen later van huis weg, vastbesloten om mijn nieuwe held, professor Moor, op te zoeken en te volgen. Ik neem al mijn spaargeld, veertien roepia's, mee en alleen de kleren die ik aanheb. Ik draag een witte dhoti en sandalen. Dit gebeurt in 1918 en ik ben dan dertien jaar oud.

Ik ontdek dat professor Moor naar Lahore is gegaan, driehonderd kilometer verder, en dus koop ik helemaal alleen een kaartje derde klas, stap in de trein en ga achter hem aan. In Lahore vind ik de professor. Hij doet zijn goochelnummer in een heel goedkope show. Ik vertel hem van mijn bewondering en bied mezelf aan als zijn assistent. Hij neemt me aan. Mijn loon? Ja, mijn loon is maar een paar anna's per dag.

De professor leert mij de truc met de vastzittende ringen en het is mijn taak om op straat voor het theater deze truc te doen en de mensen toe te roepen dat ze binnen moeten komen om de show te zien.

Zes hele weken gaat het prima. Het is heel wat leuker dan op school. Maar dan krijg ik opeens de schok van mijn leven, als het mij plotseling duidelijk wordt dat er geen tovenarij aan te pas komt, maar dat het allemaal alleen maar nep is en vingervlugheid. Onmiddellijk is professor Moor mijn held niet meer. Ik verlies alle interesse in mijn werk, maar tegelijkertijd komt er een intens verlangen bij mij op. Meer dan wat ook verlang ik om meer over echte magie aan de weet te komen en om het een en ander van de vreemde kracht, die yoga heet, te leren.

Daarvoor moet ik een yogi vinden die bereid is mij zijn leerling te laten worden. Dit zal niet eenvoudig zijn. Echte yogi's moet je met een kaarsje zoeken. Er zijn er maar een paar in heel India. Bovendien zijn ze fanatiek godsdienstig. Daarom zal ik wanneer ik erin slaag een leraar te vinden, net moeten doen alsof ik ook een heel erg godsdienstig mens ben.

Nee, ik ben eigenlijk niet zo godsdienstig. En daarom ben ik wat je noemt een beetje een bedrieger. Ik wilde me yogakrachten eigen maken voor puur egoïstische doeleinden. Ik wilde die krachten gebruiken om rijk en beroemd te worden.
Nu was dit iets wat de ware yogi meer dan wat ook ter wereld zou verafschuwen. In feite gelooft de ware yogi dat elke yogi die zijn krachten misbruikt een voortijdige plotselinge dood sterft. Een yogi mag nooit in het openbaar optreden. Hij moet zijn kunst alleen bij wijze van godsdienstoefening en in volslagen eenzaamheid beoefenen, anders wordt het zijn dood. Hier geloofde ik niet in en dat doe ik nog niet.
Zo begint mijn speurtocht naar een leraar yogi. Ik ga weg bij professor Moor en ik ga naar de stad Amritsar in de punjab, waar ik me aansluit bij een rondreizend toneelgezelschap. Ik moet mijn brood verdienen terwijl ik naar het geheim zoek. Op school had ik al succes gehad met amateurtoneel; dus reis ik drie jaar lang met dit gezelschap de hele punjab rond en in die tijd ben ik op mijn zestiende jaar de hoofdrolspeler van het gezelschap geworden. Al die tijd heb ik gespaard en nu heb ik een grote som geld bij elkaar, tweeduizend roepia's.
Op dat moment hoor ik over een man die Banerjee genoemd wordt. Deze Banerjee is naar men zegt een van de waarlijk grote yogi's van India en bezit buitengewone krachten. De mensen vertellen vooral dat hij zich die zeldzame kunst van de levitatie heeft eigen gemaakt, zodat wanneer hij bidt zijn hele lichaam zich in de lucht verheft en een halve meter boven de grond blijft hangen.
Aha, denk ik. Dit is vast en zeker de man voor mij. Deze Banerjee is de man die ik hebben moet. Dus neem ik dadelijk mijn spaargeld op, ga bij het toneelgezelschap weg en naar Rishikesh, aan de oever van de Ganges, waar Banerjee woont volgens de geruchten.
Zes maanden lang zoek ik naar Banerjee. Waar is hij? Waar? Waar is Banerjee? O ja, zeggen ze in Rishikesh, Banerjee is in de stad geweest, maar alweer een tijdje geleden en ook toen heeft niemand hem gezien. En nu? Nu is Banerjee weer ergens anders heen gegaan. Waarheen? Tja, zeggen ze, hoe kunnen wij dat nu weten. Tja, hoe?

Hoe kan je nu op de hoogte zijn van de verblijfplaats van iemand zoals Banerjee? Leidt hij niet een leven van volslagen afzondering? Ja toch? En dan zeg ik: ja, ja, ja, ja. Natuurlijk. Dat spreekt vanzelf. Zelfs voor mij.
Ik geef al mijn spaargeld uit bij het zoeken naar deze Banerjee. Alles op vijfendertig roepia's na. Maar het is tevergeefs. Ik blijf echter in Rishikesh en verdien mijn brood met gewone goocheltrucs voor kleine groepen en meer van zulke dingen. Dat zijn de trucs die ik van professor Moor heb geleerd en mijn vingers zijn van nature nogal vlug en lenig.
Dan zit ik op een dag in een klein hotelletje in Rishikesh en hoor ik opnieuw over de yogi Banerjee praten. Een reiziger vertelt dat hij heeft gehoord dat Banerjee nu in het oerwoud woont, niet zo ver weg maar in ondoordringbaar oerwoud, helemaal alleen.
Maar waar dan?
De reiziger is daar niet zeker van. "Misschien," zegt hij, "daar, die kant op, ten noorden van de stad," en hij wijst met zijn vinger.
Nou, dat is voor mij genoeg. Ik ga naar de markt en begin te pingelen over de huur van een tonga, dat is een paard met een wagentje. De voerman en ik zijn het net eens geworden over de prijs, en daar komt een man naar voren, die erbij heeft staan luisteren, en zegt dat hij ook die kant op moet. Hij zegt dat hij gedeeltelijk met mij mee kan rijden en meedelen in de kosten.
Ik natuurlijk opgetogen en daar gaan we; de man in het wagentje en de voerman op het paard. Daar gaan we langs een heel smal paadje, dwars door het oerwoud.
En dan heb ik me toch een fantastisch buitenkansje! Ik zit te praten met mijn metgezel in ik hoor dat hij een leerling is van niemand anders dan de grote Banerjee zelf en dat hij nu net op weg is naar zijn meester. Dus vertel ik hem direct dat ik ook zo graag leerling van de yogi wil worden.
Hij draait zich om en kijkt me lange tijd nadenkend aan en misschien wel drie minuten lang zegt hij niets. Dan zegt hij zachtjes: "Nee, dat is onmogelijk."
Nou goed, zeg ik tegen mezelf, dat zullen we nog wel eens zien.

Dan vraag ik of het echt waar is dat Banerjee zich van de grond verheft wanneer hij bidt.
"Ja," zegt hij. "Dat is waar. Maar niemand mag dat zien gebeuren. Niemand mag ooit bij Banerjee in de buurt komen wanneer hij bidt."
Dus gaan we nog wat verder met de tonga, steeds maar pratend over Banerjee en met heel voorzichtig en nonchalant vragen lukt het mij een aantal kleine dingen te weten te komen, zoals hoe laat hij begint met bidden. Dan na een poosje zegt de man. "Hier ga ik u verlaten. Dit is waar ik afstap."
Ik zet hem af en doe net alsof ik mijn tocht voortzet, maar om een bocht beveel ik de voerman stil te staan en te wachten. Vlug spring ik eraf en sluip terug langs de weg om die man, de leerling van Banerjee, te vinden. Hij is niet op de weg. Hij is al in het oerwoud verdwenen. Maar welke kant op? Welke kant van de weg? Ik blijf doodstil staan luisteren.
Ik hoor een soort geritsel in het struikgewas. Dat moet hem zijn, zeg ik tegen mezelf. Als hij het niet is dan is het een tijger. Maar hij is het wel, ik zie hem voor mij uit. Hij dringt dwars door het dichte oerwoud. Er is nog niet eens een spoor waar hij gaat en hij moet zich een weg banen door hoge bamboestruiken en allerlei soorten dichte plantengroei.
Ik kruip achter hem aan. Ik blijf zo'n honderd meter achter hem uit angst dat hij mij hoort. Ik hoor hem in ieder geval wel. Het is onmogelijk om stilletjes door heel dicht oerwoud te gaan en wanneer ik hem uit het gezicht verlies en dat gebeurt het grootste deel van de tijd, dan kan ik het geluid volgen dat hij maakt.
Dit spannende spelletje gaat ongeveer een half uur zo door. Dan plotseling hoor ik de man voor mij niet meer. Ik sta stil en luister. Het oerwoud is stil. Ik ben doodsbang dat ik hem kwijt ben geraakt. Ik kruip een eindje verder en plotseling zie ik voor me door het dichte struikgewas heen een kleine open plek. En in het midden op die open plek staan twee hutten. Het zijn kleine hutjes van uitsluitend takken en bladeren. Mijn hart klopt in mijn keel en ik voel een golf van opwinding in mij opstijgen want dit, dat weet ik zeker,

is de verblijfplaats van Banerjee, de yogi.
De leerling is al verdwenen. Hij moet een van de hutjes ingegaan zijn. Alles is rustig. Dus nu ga ik heel zorgvuldig de bomen en struiken en andere dingen daaromheen onderzoeken. Naast de dichtstbijzijnde hut is een kleine waterput en daarnaast zie ik een gebedsmatje, en dat, zeg ik tegen mezelf, dat is waar Banerjee mediteert en bidt. Dicht bij de put nog geen dertig meter er vanaf, staat een grote boom, een enorme apebroodboom met prachtige dikke takken, die zo gespreid zijn dat je er een bed op kunt leggen zonder van beneden af gezien te worden. Dat wordt mijn boom, zeg ik tegen mezelf. Ik zal mij in die boom verstoppen en wachten tot Banerjee naar buiten komt om te bidden. Dan zal ik alles kunnen zien.
Maar de leerling heeft mij verteld, dat het pas om vijf of zes uur 's avonds tijd is voor het gebed, dus moet ik nog verscheidene uren wachten.
Daarom ga ik meteen terug door het oerwoud naar de weg om met de man van de tonga te praten. Ik zeg hem dat hij ook moet wachten. Daarvoor moet ik hem dan wel extra geld betalen, maar dat kan me niet schelen, want ik ben nu zo opgewonden, dat niets me op dit moment kan schelen, zelfs geld niet.
En gedurende heel de verstikkende hitte van de dag blijf ik bij de tonga wachten en in de zware vochtige hitte van de namiddag. En dan, tegen vijf uur, dring ik zo stil mogelijk door het oerwoud naar de hut, met zo'n snel kloppend hart, dat mijn hele lichaam ervan trilt. Ik klim mijn boom in en verschuil mij tussen de bladeren, op zo'n manier dat ik wel kan zien maar niet gezien kan worden. En ik wacht. Ik wacht drie kwartier.
Een horloge? Ja, ik heb een horloge om. Dat herinner ik me duidelijk. Het was een horloge dat ik eens in de loterij gewonnen had en waar ik trots op was. Op de wijzerplaat stond de naam van de fabrikant: de Islamia Watch Co., Ludhiana. En met mijn horloge neem ik dus zorgvuldig de tijd op van alles wat er gebeurt, omdat ik me alles tot in de kleinste bijzonderheden wil herinneren van deze ervaring.

Ik zit daar in die boom en wacht.
Dan plotseling komt een man de hut uit. De man is lang en mager. Hij heeft een oranjekleurige dhoti aan en hij draagt een blad met koperen potten en wierookbranders. Hij steekt de open plek over en gaat met gekruiste benen op de mat bij de waterput zitten met het blad voor zich op de grond. Elke beweging die hij maakt lijkt op de een of andere manier heel kalm en mild.
Hij leunt voorover, schept een handvol water uit de put en gooit het over zijn schouder. Hij pakt de wierookbrander en beweegt deze heen en weer voor zijn borst, langzaam, in een bedaarde, vloeiende beweging. Hij legt zijn handpalmen op zijn knieën. Hij wacht even. Hij ademt diep in door zijn neusgaten. Ik zie hem inademen en plotseling zie ik zijn gezicht veranderen; er komt een soort heldere glans over zijn hele gezicht en een soort... tja, een soort van glans over zijn huid, en ik zie zijn gezicht veranderen.
Veertien minuten blijft hij onbeweeglijk in die houding zitten, dan terwijl ik toekijk, zie ik heel duidelijk hoe zijn lichaam langzaam... langzaam... langzaam van de grond loskomt. Nog steeds zit hij met gekruiste benen en liggen zijn handpalmen op zijn knieën, en zijn hele lichaam verheft zich langzaam van de grond. Nu kan ik het daglicht onder hem zien. Hij zit dertig centimeter boven de grond... vijfendertig... veertig... vijftig... al gauw hangt hij minstens zestig centimeter boven de gebedsmat.
Ik blijf daar doodstil in de boom zitten kijken en zeg voortdurend tegen mijzelf: goed kijken, overtuig je ervan dat je het echt ziet. Daar voor je, dertig meter van je af, zit een man doodkalm in de lucht. Zie je hem? Ja, ik zie hem. Maar weet je wel zeker dat het geen inbeelding is? Weet je wel zeker dat het geen bedriegerij is? Weet je wel zeker dat het geen illusie is? Weet je het wel zeker? Ik staar naar hem vol verwondering. Lange tijd blijf ik staren en dan komt het lichaam weer langzaam omlaag naar de grond. Ik zie het dalen, ik zie het langzaam omlaag komen, steeds dichter bij de grond tot zijn zitvlak weer op de mat rust.
Zesenveertig minuten, volgens mijn horloge, had zijn lichaam in de lucht gehangen! Ik had het precies bijgehouden.

En dan blijft de man lange, lange tijd, wel meer dan twee uur, volstrekt roerloos zitten, als een stenen beeld, zonder ook maar de geringste beweging. Mij schijnt het toe dat hij niet eens ademhaalt. Zijn ogen zijn dicht en nog steeds is daar die heldere glans op zijn gezicht en ook die vage glimlach, die ik sindsdien in mijn hele leven nooit meer op een ander gezicht gezien heb...

Ten slotte verroert hij zich. Hij beweegt zijn handen. Hij staat op. Hij buigt zich opnieuw voorover. Hij neemt het blad op en gaat langzaam de hut weer in. Ik ben buiten mezelf van verwondering. Ik ben verrukt. Ik verlies alle voorzichtigheid uit het oog en ik klim vlug uit de boom en ren recht op de hut af en door de deur naar binnen. Banerjee staat voorover gebogen zijn handen en voeten te wassen in een bakje. Hij staat met zijn rug naar mij toe, maar hij hoort me wel, draait zich snel om en komt overeind. Hij kijkt heel verbaasd en het eerste wat hij zegt is: "Hoe lang ben jij hier al?" Hij zegt het scherp, alsof het hem niet bevalt.

Meteen vertel ik de volledige waarheid: alles over hoe ik in de boom zat en toekeek en ten slotte zeg ik hem dat ik maar één wens in mijn leven heb en dat is zijn leerling te worden. Wil hij alstublieft mij zijn leerling laten worden?

Plotseling lijkt hij te ontploffen. Hij wordt razend en begint tegen me te schreeuwen. "Ga weg," schreeuwt hij. "Ga hier vandaan! Ga weg! Ga weg! Ga weg!" En in zijn razernij pakt hij een steen en gooit die naar me toe. Hij raakt mijn rechterbeen net onder de knie en veroorzaakt een diepe snee. Er zit nog steeds een litteken. Ik zal het u laten zien. Daar, ziet u wel, net onder de knie.

Banerjees woede is verschrikkelijk en ik ben doodsbang. Ik draai me om en ren weg. Ik ren terug door het oerwoud, naar de plaats waar de tonga staat te wachten en we rijden terug naar Rishikesh. Maar die nacht hervind ik mijn zelfvertrouwen. Ik neem een besluit en dat is: dat ik elke dag naar de hut van Banerjee zal teruggaan en hem net zolang zal blijven lastig vallen tot hij mij wel als leerling moet aannemen, al was het alleen maar om van het gezeur af te zijn.

Zo gezegd zo gedaan. Elke dag ga ik naar hem toe en elke dag stort hij zijn woede over mij uit als een vulkaan; hij razend en tierend en ik, bang maar koppig, steeds maar weer mijn wens herhalend zijn leerling te mogen worden. Vijf dagen gaat dat zo door. Dan plotseling, op de zesde dag, lijkt Banerjee heel kalm en heel beleefd geworden te zijn. Hij verklaart dat hij me niet zelf als leerling kan aannemen. Maar hij zal me een brief meegeven, zegt hij, voor een andere man, een vriend, een grote yogi, die in Hardwar woont. Daar moet ik heen gaan om geholpen en onderwezen te worden.'

Hier hield Imhrat Khan even op en vroeg om een glas water. Ik haalde het voor hem. Hij nam langzaam een flinke slok en ging verder met zijn verhaal.

'Het is 1922 en ik ben bijna zeventien jaar oud. Dus ga ik naar Hardwar. En daar vind ik de yogi, en omdat ik een brief van de grote Banerjee bij me heb, stemt hij er in toe mij te onderwijzen. En wat is dat nu voor onderwijs? Dat is natuurlijk waar alles om draait. Dat is waar ik naar gezocht en gehunkerd heb, dus je begrijpt wat een vlijtige leerling ik ben.

De eerste les bestaat voor het belangrijkste deel uit de allermoeilijkste lichamelijke oefeningen, die allemaal gericht zijn op beheersing van de spieren en de ademhaling. Maar na dat een paar weken geoefend te hebben, wordt zelfs de vlijtigste leerling ongeduldig. Ik zeg tegen de yogi, dat ik mijn geestelijke krachten wil ontwikkelen en niet mijn lichamelijke.

Hij antwoordt: "Als jij je lichaam leert beheersen, dan komt de beheersing van je geest vanzelf." Maar ik wil het allebei tegelijk en blijf erom vragen, en tenslotte zegt hij: "Goed, dan zal ik je een paar oefeningen geven om je bewuste geest te leren concentreren."

"Bewuste geest?" vraag ik. "Waarom zegt u *bewuste* geest?"

"Omdat ieder mens twee geesten heeft, het bewustzijn en het onderbewustzijn. Het onderbewustzijn is zeer geconcentreerd, maar het bewustzijn, dat iedereen dagelijks gebruikt, is een slordig, ongeconcentreerd ding. Het houdt zich met duizenden verschillende onderwerpen bezig: alles wat je om je heen ziet en alles waar je aan denkt.

Daarom moet je het zo leren concentreren, dat je je naar wens het beeld van een enkel ding, maar één enkel ding en absoluut niets anders voor de geest kunt halen. Als je er hard aan werkt, moet je je bewustzijn op ieder gewenst object kunnen concentreren voor tenminste drieëneenhalve minuut. Maar dat duurt vijftien jaar."
"Vijftien jaar!" roep ik uit.
"Het kan ook langer zijn." zegt hij. "Vijftien jaar is het gemiddelde."
"Maar dan ben ik een oude man."
"Wanhoop niet," zegt de yogi. "De tijd is voor niemand hetzelfde. Sommigen doen er tien jaar over. Een paar nog minder en een heel enkele keer komt het voor dat een speciaal iemand zich deze kunst in een jaar of twee weet meester te maken. Maar dat is er maar één op de miljoen."
"Wat zijn dat voor speciale mensen?" vraag ik. "Zien zij er anders uit dan andere mensen?"
"Ze zien er heel gewoon uit," zei hij. "Zo'n speciaal mens kan heel goed een eenvoudige straatveger of fabrieksarbeider zijn. Of anders een raja. Dat is onmogelijk vast te stellen voor hij met de training begint."
"Is het echt zo moeilijk," vraag ik, "om je drieëneenhalve minuut op een enkel ding te concentreren?"
"Het is bijna niet te doen," antwoordt hij. "Probeer het maar, dan merk je het wel. Doe je ogen dicht en denk nergens aan. Denk aan één bepaald ding. Haal je het beeld ervan voor de geest. Zie het voor je. En na een paar seconden dwaalt je geest af. Andere kleine gedachten dringen zich op. Andere beelden komen bij je op. Het is heel erg moeilijk."
Aldus sprak de yogi van Hardwar.
En zo beginnen mijn echte oefeningen. Elke avond ga ik zitten, sluit mijn ogen en haal mij het gezicht van degene van wie ik het meest houd, mijn broer, voor de geest. Maar zodra mijn gedachten afdwalen, houd ik op en rust even. Dan probeer ik het opnieuw.
Na drie jaar dagelijks oefenen kan ik mij anderhalve minuut op het gezicht van mijn broer concentreren. Ik ga vooruit. Maar er

gebeurt iets interessants. Door deze oefeningen raak ik mijn reukzin kwijt. En die heb ik tot op deze dag nooit meer teruggekregen.
Dan dwingt de noodzaak om mijn brood te verdienen mij Hardwar te verlaten. Ik ga naar Calcutta, waar meer mogelijkheden zijn, en daar verdien ik al gauw behoorlijk met goochelen. Maar ik blijf steeds doorgaan met mijn oefeningen. Iedere avond, waar ik ook ben, ga ik in een rustig hoekje zitten en oefen mij in het concentreren op mijn broers gezicht. Zo nu en dan kies ik iets minder persoonlijks uit, zoals bijvoorbeeld een sinaasappel of een bril. Dat maakt het nog moeilijker.
Op een dag reis ik van Calcutta naar Dacca in Oost-Bengalen, om daar een voorstelling te geven voor een school. En daar in Dacca maak ik toevallig een demonstratie mee van iemand die over vuur loopt. Er zijn veel mensen bij. Onder aan een aflopend grasveld is een grote greppel gegraven. De toeschouwers zitten bij honderden op de grashelling en kijken op de greppel neer.
De greppel in zo'n zeveneneenhalve meter lang. Hij is gevuld met houtblokken en takken en kolen, waar een heleboel paraffine overheen is gegoten. De paraffine is aangestoken en na enige tijd is de hele greppel een smeulende, gloeiend hete oven geworden. Het is zo heet dat de mannen die er voor zorgen speciale brillen moeten dragen. Er staat een flinke wind en de wind blaast de kolen aan tot ze witheet zijn.
Dan komt de Indiër die over het vuur gaat lopen naar voren. Hij is naakt op een klein lendendoekje na en hij is op blote voeten. De mensen worden stil. De vuurloper gaat de greppel in en loopt de hele lengte over de withete kolen. Hij staat niet stil. En hij haast zich ook niet. Hij loopt gewoon over de withete kolen en komt er aan de andere kant uit zonder dat zijn voeten ook maar een schroeiplekje hebben. Hij toont zijn voetzolen aan het publiek. Het publiek staart er naar in stomme verbazing.
Dan loopt de man nog een keer door de greppel. Dit keer gaat hij nog langzamer en terwijl hij dat doet zie ik op zijn gezicht een uitdrukking van pure, volstrekte concentratie. Deze man, zeg ik tegen mezelf, heeft yoga beoefend. Het is een yogi.

Na de voorstelling daagt de man het publiek uit met de vraag, of er iemand dapper genoeg is om naar beneden te komen en over het vuur te lopen. Het publiek wordt stil. Ik voel een golf van opwinding in mijn borst. Dit is mijn kans. Die moet ik grijpen. Ik moet moed en zelfvertrouwen hebben. Ik moet het proberen. Ik heb nu al meer dan drie jaar lang mijn concentratie geoefend en het is tijd om die streng op de proef te stellen.
Terwijl ik daar zo sta te denken, komt een vrijwilliger uit het publiek naar voren. Het is een jonge Indiër. Hij verklaart dat hij het wil proberen. Dat geeft de doorslag en ook ik ga naar voren en verklaar hetzelfde. Het publiek juicht ons beiden toe.
Nu wordt de echte vuurloper opzichter. Hij zegt tegen de andere man, dat hij het eerste gaat. Hij laat hem zijn dhoti uittrekken, anders zou de zoom vlam kunnen vatten door de hitte, zegt hij. Ook zijn sandalen moeten uit.
De jonge Indiër doet wat hem gezegd wordt. Maar nu hij zo dicht bij de greppel staat en de verschrikkelijke hitte voelt, begint hij angstig te kijken. Hij doet een paar stappen naar achteren en houdt zijn handen voor zijn ogen tegen de hitte.
"U hoeft het niet te doen, als u niet wilt," zegt de echte vuurloper.
Het publiek, dat voelt dat zich een drama afspeelt, wacht en kijkt toe.
De jonge man wil, al is hij nog zo ontzettend bang, toch zijn dapperheid bewijzen en zegt: "Natuurlijk doe ik het."
Meteen rent hij naar de greppel. Hij stapt er met een voet in, dan met de andere. Hij geeft een vreselijke gil en springt er uit en valt neer. Daar ligt de arme man, krijsend van de pijn. Zijn voetzolen zijn ernstig verbrand en een gedeelte van de huid heeft losgelaten. Twee van zijn vrienden rennen naar voren en dragen hem weg.
"Nu is het uw beurt," zegt de vuurloper. "Bent u bereid?"
"Ik ben bereid", zeg ik. "Maar weest u alstublieft stil, zodat ik me kan voorbereiden."
Er valt een diepe stilte in het publiek. Ze hebben al een man ernstig verbrand zien worden. Zal de tweede zo gek zijn om hetzelfde te doen?

Iemand uit het publiek schreeuwt: "Doe 't toch niet! Je lijkt wel gek!" Anderen vallen hem bij en schreeuwen me toe er van af te zien. Ik draai me om, kijk hen aan en hef mijn hand op om hen tot zwijgen te brengen. Ze houden op met schreeuwen en staren mij aan.
Alle ogen zijn nu op mij gevestigd. Ik voel me buitengewoon kalm. Ik trek mijn dhoti over mijn hoofd. Ik doe mijn sandalen uit. Daar sta ik naakt op mijn onderbroek na. Ik sta doodstil en doe mijn ogen dicht. Ik begin me te concentreren. Ik concentreer me op het vuur. Ik zie niets anders dan de withete kolen en concentreer mij op de gedachte dat zij niet heet maar koud zijn. De kolen zijn koud, houd ik mezelf voor. Ze kunnen mij niet branden. Het is onmogelijk dat ze me branden, omdat er geen enkele warmte inzit. Ik laat een halve minuut voorbijgaan. Ik weet dat ik niet te lang moet wachten, omdat ik me maar anderhalve minuut totaal op een ding kan concentreren.
Ik blijf me concentreren. Ik concentreer me zo sterk dat ik in een soort trance raak. Ik stap op de hete kolen. Ik loop nogal snel de greppel door. En zie, ik ben niet verbrand!
Het publiek wordt gek van enthousiasme. Ze gillen en juichen. De eigenlijke vuurloper rent naar me toe en bekijkt mijn voetzolen. Hij kan zijn ogen niet geloven. Er zit nog geen schroeiplekje op.
"Ai, ai!" roept hij. "Wat is dat? Bent u een yogi?"
"Daar ben ik naar op weg, meneer," antwoord ik trots. "Al een heel eind op weg."
Daarna kleed ik me snel aan en verdwijn om het publiek te ontlopen. Natuurlijk ben ik erg opgewonden. Het komt, zeg ik. Eindelijk begint het te komen. En al die tijd moet ik aan iets anders denken. Aan iets wat de oude yogi in Hardwar me eens gezegd heeft. Hij zei: "Van sommige heilige mannen is bekend, dat ze de kunst van het concentreren zo meester werden dat ze konden zien zonder hun ogen te gebruiken." Die uitspraak is me steeds bij gebleven. En ik hunker er naar datzelfde te kunnen doen. En na mijn succes met het lopen over het vuur besluit ik me geheel en al te richten op dat ene doel: te zien zonder ogen.'

Voor de tweede keer pas onderbrak Imhrat Khan zijn verhaal. Hij nam nog een teug water, leunde achterover in zijn stoel en sloot zijn ogen.
'Ik probeer alles in goede volgorde te zetten,' zei hij. 'Ik wil niets overslaan.'
'Het gaat uitstekend,' zei ik. 'Ga door.'
'Goed dan,' zei hij. 'Dus ik ben nog steeds in Calcutta en ik ben er juist in geslaagd over vuur te lopen. En nu heb ik besloten al mijn energie op dit ene doel te concentreren, namelijk zien zonder ogen.
Daartoe is het tijd geworden een kleine verandering aan te brengen in mijn oefeningen. Iedere avond steek ik nu een kaars aan en begin ik met in de vlam te staren. De vlam van een kaars, weet u, heeft drie verschillende delen: geel van boven, paarsig verder naar beneden en zwart in het midden. Ik zet de kaars zo'n veertig centimeter van mijn gezicht af. De vlam precies ter hoogte van mijn ogen. Niet eronder en niet erboven. Hij moet precies op de goede hoogte zijn, zodat ik nog niet de kleinste beweging met mijn oogspieren hoef te maken door omlaag of omhoog te kijken. Ik ga gemakkelijk zitten en begin naar het zwarte stukje, precies in het midden van de vlam te staren. Dit alles is alleen maar om mijn bewustzijn te concentreren, om mijn geest los te maken van mijn omgeving. Dus staar ik naar het zwarte plekje in de vlam, tot alles om mij heen verdwenen is en ik niets anders meer kan zien. Dan sluit ik mijn ogen en begin mij zoals gewoonlijk op een enkel ding te concentreren, meestal het gezicht van mijn broer, zoals u weet.
Dat doe ik iedere avond voor ik naar bed ga en zo tegen 1929, wanneer ik vierentwintig jaar oud ben, kan ik mij drie minuten lang op een ding concentreren zonder afgeleid te worden. Het is in die tijd, dat ik merk dat ik iets een heel klein beetje kan zien met mijn ogen dicht. Het is maar een heel klein beetje, niet meer dan het eigenaardige gevoel dat ik, als ik mijn ogen dicht doe en ergens intens fel geconcentreerd naar kijk, de contouren kan zien van het ding waar ik naar kijk.
Langzaam begin ik mijn inwendige gezichtszintuig te ontwikkelen.

U vraagt me wat ik daarmee bedoel. Ik zal het u uitleggen, precies zo als de yogi in Hardwar het mij uitlegde.
Wij hebben allemaal twee gezichtszintuigen, net zoals wij twee zintuigen hebben om te ruiken, te proeven en te horen. We hebben het uitwendige zintuig, dat sterk ontwikkeld is en dat wij allemaal gebruiken, en we hebben een inwendig zintuig.
Als we deze innerlijke zintuigen maar konden ontwikkelen, zouden we kunnen ruiken zonder neus, proeven zonder tong, horen zonder oren. Begrijpt u het niet? Ziet u dan niet dat onze neus, tong, oren en ogen alleen maar... hoe zal ik het zeggen... alleen maar instrumenten zijn die helpen een bepaalde gewaarwording naar de hersenen over te brengen?
En zo probeer ik al die tijd mijn innerlijke gezichtszintuig te ontwikkelen. Elke avond doe ik mijn gebruikelijke oefeningen met de kaarsvlam en het gezicht van mijn broer. Daarna rust ik even. Ik drink een kopje koffie. Dan doe ik een blinddoek om, ga op een stoel zitten en probeer elk ding in de kamer te zien, niet alleen maar het beeld van dat ding op te roepen, maar het echt te zien zonder mijn ogen te gebruiken.
En langzamerhand begint het te lukken.
Al gauw gebruik ik een pakje speelkaarten. Ik neem een kaart van het stapeltje en houd die voor me met de achterkant naar mij toe en probeer er doorheen te kijken. Dan, met een potlood in de andere hand, schrijf ik op wat ik denk dat het is.
Ik neem nog een kaart en doe hetzelfde. Zo doe ik de hele stapel en wanneer ik klaar ben vergelijk ik wat ik opgeschreven heb met het stapeltje naast me.
Al meteen heb ik zestig tot zeventig procent bij het rechte eind.
Ik doe ook andere dingen. Ik koop landkaarten en erg ingewikkelde navigatiekaarten en prik ze op alle muren van mijn kamer. Urenlang bekijk ik ze geblinddoekt, om te proberen ze te zien, te proberen de kleine lettertjes van de plaatsnamen te lezen. Iedere avond, vier jaar lang, doe ik dergelijke oefeningen.
In het jaar 1933 – dat is vorig jaar – wanneer ik achtentwintig jaar oud ben, kan ik een boek lezen. Ik kan mijn ogen volledig bedekken

en toch een heel boek lezen van het begin tot het eind.
Dus nu ben ik de kunst eindelijk meester. Zeker dat ik het nu onder de knie heb, neem ik een nummer met een blinddoek in mijn gewone goochelvoorstelling op.
Het publiek is er gek op. Er wordt lang en hard geapplaudisseerd. Maar er is geen mens die gelooft dat het echt is. Iedereen denkt dat het gewoon een nieuwe slimme truc is. En het feit dat ik een goochelaar ben geeft ze helemaal het gevoel dat ik ze voor de gek houd.
Goochelaars zijn mensen die de boel belazeren. Ze houden je voor de gek met hun slimmigheden. En daarom gelooft niemand mij. Zelfs de doktoren die mij zo deskundig blinddoeken, weigeren te geloven dat iemand kan zien zonder ogen. Ze vergeten dat er misschien wel andere manieren zijn om een bepaald beeld naar de hersenen over te brengen.
'Wat voor andere manieren?' vraag ik hem.
'Om heel eerlijk te zijn, weet ik niet precies hoe het komt dat ik zonder mijn ogen kan zien. Maar wat ik wel weet is dat ik, wanneer ik mijn ogen bedek, mijn ogen helemaal niet gebruik. Het zien gebeurt door een ander deel van mijn lichaam.'
'Welk deel?' vraag ik hem.
'Willekeurig welk deel, zolang de huid maar onbedekt is. Als u bijvoorbeeld een metalen scherm voor me neerzet en daar een boek achter houdt, dan kan ik dat boek niet lezen. Maar als u me mijn hand om het scherm laat steken zodat de hand het boek kan zien, dan kan ik het wel lezen.'
'Zou u het erg vinden als ik dat uit zou proberen?' vroeg ik.
'Helemaal niet,' antwoordde hij.
'Ik heb wel geen metalen scherm,' zei ik, 'maar met een deur zal het ook wel gaan.'
Ik stond op en liep naar de boekenkast. Ik nam het eerste het beste boek dat me voor de hand kwam. Het was *Alice in Wonderland*. Ik deed de deur open en vroeg mijn bezoeker er achter te gaan staan, uit het gezicht. Ik sloeg het boek open op een willekeurige plaats en zette het op een stoel aan de andere kant van de deur.

'Kunt u dat boek lezen?' vroeg ik.
'Nee,' antwoordde hij, 'natuurlijk niet.'
'Goed. Dan kunt u nu uw hand om de deur steken, maar alleen uw hand.'
Hij stak zijn hand door de kier van de deur tot deze het boek kon zien.
Toen zag ik de vingers van de hand wijd uitspreiden en zachtjes beginnen te trillen, als de voelhorens van een insekt. En de hand draaide zich zo, dat hij recht tegenover het boek kwam te staan.
'Probeer de linkerbladzijde bovenaan eens te lezen,' zei ik.
Het bleef misschien tien seconden stil, toen begon hij vlot zonder haperen voor te lezen:
'Heb je het raadsel al opgelost?' vroeg de hoedenmaker en wendde zich weer tot Alice. 'Nee, ik geef het op,' antwoordde Alice, 'wat is de oplossing?' 'Ik heb er geen flauw idee van,' zei de hoedenmaker. 'Ik evenmin,' zei de Maartse Haas. Alice moest er van zuchten. 'Je kunt je tijd toch wel beter besteden,' zei ze, 'dan haar met raadsels te verknoeien waar geen antwoord op is...'
'Het is volmaakt!' riep ik. 'Nu geloof ik u! U bent een wonder!' Ik was geweldig opgewonden.
'Dank u, dokter,' zei hij ernstig. 'Wat u daar zegt, doet me veel plezier.'
'Nog één vraag,' zei ik, 'over de speelkaarten. Toen u ze verkeerd om voor u hield, had u toen ook een hand aan de andere kant om u te helpen lezen?'
'U bent zeer scherpzinnig,' zei hij. 'Nee, dat had ik niet. Bij de kaarten kon ik er op de een of andere manier *doorheen* kijken.'
'Hoe verklaart u dat?' vroeg ik?
'Dat kan ik niet verklaren,' zei hij. 'Behalve dan misschien doordat een kaart zo dun is en niet stevig, zoals metaal, of zo dik als een deur. Dat is de enige manier waarop ik het zou kunnen verklaren!'
'Ja,' zei ik, 'dat is zeker waar.'
'Wilt u zo vriendelijk zijn me nu naar huis te brengen,' zei hij, 'ik ben erg moe.'
Ik bracht hem naar huis met de auto.

Die nacht ging ik niet naar bed. Ik was veel te opgewonden om te kunnen slapen. Ik was zojuist getuige geweest van een wonder. Deze man zou alle dokters van de wereld op hun kop zetten. Hij zou de hele ontwikkeling van de geneeskunde kunnen veranderen. Uit doktersoogpunt moest hij bepaald de meest waardevolle man zijn die er bestond. Wij dokters zouden hem onder onze hoede moeten nemen. We zouden voor hem moeten zorgen. We zouden hem geen seconde uit het oog moeten verliezen. We zouden moeten proberen er achter te komen hoe een beeld naar de hersenen kan worden overgebracht zonder ogen te gebruiken. En als we dat doen, zouden blinden weer kunnen zien en doven weer kunnen horen. Deze ongelofelijke man zou vooral niet aan zijn lot mogen worden overgelaten, om door India rond te zwerven, in armzalige kamertjes te wonen en voorstellingen te geven in tweederangs theatertjes.
Ik raakte zo geagiteerd door al deze gedachten, dat ik na een poosje een schrift en een pen pakte en heel zorgvuldig alles wat Imhrat Khan me die avond verteld had begon op te schrijven. Ik gebruikte aantekeningen die ik gemaakt had toen hij nog aan het woord was. Ik schreef vijf uur lang zonder ophouden. En om acht uur de volgende morgen, toen het tijd was om naar het ziekenhuis te gaan, had ik het belangrijkste gedeelte, dat wat u zo juist gelezen hebt, af.
In het ziekenhuis die ochtend zag ik dr. Marshall pas toen we elkaar in de dokterskamer tegenkwamen. In de theepauze. Ik vertelde hem zoveel als ik kon in de tien minuten die we hadden. 'Ik ga vanavond weer naar het theater,' zei ik. 'Ik moet nog eens met hem praten. Ik moet hem overhalen hier te blijven. We mogen hem nu niet kwijtraken.'
'Ik ga met je mee,' zei dr. Marshall.
'Goed,' zei ik. 'Dan kijken we eerst naar de voorstelling en nemen hem daarna mee uit eten.'
Om kwart voor zeven die avond reed ik met dr. Marshall naar de Acaciastraat. Ik parkeerde de auto en samen liepen we naar het Royal Palace-theater.
'Er klopt iets niet,' zei ik. 'Waar is iedereen?'

Er wachtten geen mensen buiten de zaal en de deuren waren dicht. Het reclamebord met de aankondiging van de show was er nog wel, maar nu zag ik dat iemand er in grote drukletters met zwarte inkt overheen geschilderd had: DE AVONDVOORSTELLING IS AFGELAST.
Er stond een oude portier bij de gesloten deuren.
'Wat is er aan de hand?' vroeg ik hem.
'Er is iemand gestorven,' zei hij.
'Wie?' vroeg ik, al wist ik al wie het zou zijn.
'De man die ziet zonder ogen,' antwoordde de portier.
'Hoe is het gebeurd?' riep ik. 'Wanneer? Waar?'
'Ze zeggen dat hij in zijn bed gestorven is,' zei de portier. 'Hij is gaan slapen en niet meer wakker geworden. Zulke dingen gebeuren.'
We liepen langzaam terug naar de auto. Ik voelde me overweldigd door verdriet en boosheid. Ik had deze kostbare man nooit naar huis mogen laten gaan gisteravond. Ik had hem bij me moeten houden. Ik had mijn bed aan hem moeten afstaan en voor hem moeten zorgen. Ik had hem geen seconde uit het oog moeten verliezen. Imhrat Khan was een man die wonderen verrichtte. Hij was in contact geweest met geheimzinnige en gevaarlijke krachten, die buiten het bereik van gewone mensen liggen. Hij had zijn wonderen in het openbaar verricht. Hij had er geld voor aangenomen. En nog het ergste van alles: hij had die geheimen gedeeltelijk aan een buitenstaander geopenbaard. Aan mij. Nu was hij dood.
'Nou, dat is dan dat,' zei dr. Marshall.
'Ja,' zei ik. 'Het is afgelopen. Niemand zal ooit te weten komen hoe hij het deed.'
Dit is een eerlijk en nauwkeurig verslag van alles wat er gebeurd is bij mijn twee ontmoetingen met Imhrat Khan.

Getekend John F. Cartwright,
Bombay, 4 december 1934.

'Wel, wel, wel,' zei Hendrik Meier. 'Is dat even interessant!'
Hij deed het schrift dicht en bleef zitten staren naar de regen, die tegen ramen van de bibliotheek kletterde.
'Dit,' ging Hendrik Meier verder, hardop tegen zichzelf. 'Dit is nog eens geweldig om te weten. Dit zou mijn hele leven kunnen veranderen.
Wat Hendrik bedoelde was dat Imhrat Khan zichzelf geleerd had om de waarde van een speelkaart van de achterkant af te lezen. En Hendrik, de gokker, de nogal oneerlijke gokker, had meteen beseft dat als *hij* dat zichzelf ook zo kon leren, zijn fortuin gemaakt was.
Enige ogenblikken liet Hendrik zijn gedachten dwalen over de fantastische dingen, die hij zou kunnen doen als hij de kaarten van achteren zou kunnen herkennen. Hij zou eeuwig en altijd winnen met canasta, bridge en pokeren. En beter nog, hij zou ieder casino van de wereld kunnen binnenstappen en goud verdienen met eenentwintigen en alle andere pittige kaartspelen die ze daar deden.
In casino's, dat wist Hendrik maar al te goed, hing uiteindelijk vrijwel alles af van het omdraaien van een enkele kaart.
Als je dus van tevoren wist wat het voor een kaart was, dan zat je op rozen.
Maar zou hij dat kunnen? Zou hij zichzelf echt kunnen leren dit te doen?
Hij zag niet waarom niet. Dat gedoe met de kaars leek hem nou niet zo bijzonder moeilijk. En volgens het boekje was dat eigenlijk alles: gewoon in het midden van de vlam staren en je proberen te concentreren op het gezicht van degeen op wie je het meest gesteld was. Het zou hem vast wel jaren kosten voor het zover was. Maar ja, wie zou er niet een paar jaar oefenen voor overhebben om in elk casino waar je maar binnen liep, de bank te kunnen laten springen.
'Verrek!' zei hij hardop. 'Ik doe het! Ik ga het doen!'
Stil bleef hij in de leunstoel in de bibliotheek zitten en werkte zijn plan de campagne uit. In de eerste plaats zou hij niemand vertellen wat hij van plan was. Hij zou het boekje uit de bibliotheek stelen,

zodat geen van zijn vrienden het toevallig zou vinden en het geheim zou ontdekken. Hij zou dat boekje bij zich dragen, waar hij ook ging. Het zou zijn bijbel worden. Hij kon toch onmogelijk een echte levende yogi gaan opsporen om van te leren, dus moest het boekje maar zijn yogi worden. Dat zou een leraar zijn.

Hendrik stond op en stopte het dunne blauwe schrift onder zijn jasje. Hij liep de bibliotheek uit en ging rechtstreeks naar de slaapkamer, die ze hem voor het weekend hadden gegeven. Hij haalde zijn koffer tevoorschijn en verstopte het boekje onder zijn kleren. Toen ging hij weer naar beneden en zocht het kamertje van de butler op.
'John,' zei hij tegen de butler, 'heb je misschien een kaars voor me? Een gewone, witte kaars?'
Butlers hebben geleerd nooit 'waarom' te vragen. Ze gehoorzamen alleen maar. 'wilt u ook een kandelaar, meneer?'
'Ja, een kaars en een kandelaar.'
'Uitstekend, meneer. Zal ik ze naar uw kamer brengen?'
'Nee, ik wacht hier wel even tot je ze hebt.'
De butler kwam al gauw met een kaars en een kandelaar.
Hendrik zei: 'En kun je nu nog een liniaal voor me opzoeken?'
De butler bracht een liniaal. Hendrik bedankte hem en ging terug naar zijn slaapkamer.
Toen hij in zijn slaapkamer was, deed hij de deur op slot. Hij trok de gordijnen dicht, zodat hij in het halfdonker zat. Hij zette de kandelaar met de kaars op de toilettafel en trok er een stoel bij. Toen hij ging zitten merkte hij tot zijn voldoening dat zijn ogen precies ter hoogte van de kaarsepit waren. Nu bracht hij met behulp van de liniaal zijn gezicht op een afstand van veertig centimeter van de kaars, zoals het boekje had aangegeven.
De Indiër had zich het gezicht van degene van wie hij het meest hield, in zijn geval zijn broer, voor de geest gehaald. Hendrik besloot het beeld van zijn eigen gezicht op te roepen. Dit was een goede keus, want wanneer je zo egoïstisch en egocentrisch bent als Hendrik, dan is je eigen gezicht bepaald het gezicht waar je het meeste

van houdt. Bovendien was het het gezicht dat hij het beste kende. Hij bracht zoveel tijd voor de spiegel door, dat hij ieder kuiltje en rimpeltje kende.
Met zijn aansteker stak hij de kaars aan. Een gele vlam verscheen en bleef gelijkmatig branden.
Hendrik bleef doodstil zitten en staarde in de kaarsvlam. Het boekje had het bij het rechte eind. Als je er goed naar keek had de vlam drie verschillende delen. Geel aan de buitenkant. Paarsig meer naar binnen toe. En precies in het midden zat het kleine, magische plekje van volslagen zwart. Hij staarde naar het kleine zwarte plekje. Hij richtte zijn ogen erop en bleef staren, en terwijl hij dat deed gebeurde er iets eigenaardigs. Zijn hoofd werd volkomen leeg, zijn hersenen kwamen tot rust, en plotseling had hij het gevoel alsof hijzelf, zijn hele lichaam, door de vlam werd omhuld, alsof hij gerieflijk en behaaglijk binnen in dat zwarte plekje zat.
Zonder enige moeite liet Hendrik het beeld van zijn eigen gezicht voor zijn ogen verschijnen. Hij concentreerde zich op dat gezicht en op niets anders dan dat gezicht. Alle andere gedachten sloot hij uit. Daar slaagde hij volledig in, maar niet langer dan zo'n vijftien seconden. Daarna dwaalden zijn gedachten af en merkte hij dat hij zat te denken aan casino's en aan hoeveel geld hij wel niet zou winnen. Op dat punt keek hij weg van de vlam en rustte even uit.
Dit was zijn allereerste poging. Hij was geestdriftig. Het was gelukt. Goed, hij had het niet lang volgehouden. Maar dat had die Indiër ook niet bij zijn eerste poging.
Een paar minuten later probeerde hij het opnieuw. Het ging goed. Hij had geen stopwatch om de tijd op te nemen, maar hij voelde dat het ditmaal bepaald langer duurde dan de eerste keer.
'Het is fenomenaal!' riep hij. 'Het zal me vast wel lukken. Ik zal het kunnen!' Hij was nog nooit in zijn leven ergens zo opgewonden over geweest.

Van die dag af, waar hij ook was en wat hij ook deed, oefende Hendrik steevast iedere morgen en iedere avond met de kaars. Vaak

oefende hij 's middags ook nog. Voor de eerste keer van zijn leven gooide hij zich ergens op met echt enthousiasme. En hij maakte opmerkelijke vorderingen. Na zes maanden kon hij zich volledig op zijn eigen gezicht concentreren, gedurende niet minder dan drie minuten zonder één bijgedachte in zijn hoofd.
De yogi van Hardwar had de Indiër gezegd, dat iemand wel vijftien jaar zou moeten oefenen voor hij zover was! Maar wacht eens even! De yogi had er nog iets anders bij gezegd (en hier raadpleegde Hendrik gretig het blauwe schrift, voor de honderdste keer), hij had gezegd dat heel soms een heel speciaal iemand die gave kan ontwikkelen in maar een of twee jaar.
'Dat ben ik!' riep Hendrik uit. 'Dat moet ik zijn! Ik ben die ene op de miljoen, die de mogelijkheid bezit om zich yogakrachten met ongelooflijke snelheid eigen te maken. Joepie en hoera! Het zal niet lang meer duren of ik laat alle banken springen van alle casino's in Europa en Amerika!'
Maar hier toonde Hendrik zich ongewoon geduldig en verstandig. Hij vloog niet weg om een pakje speelkaarten te halen, om te zien of hij ze aan de achterkant zou kunnen aflezen. In feite hield hij zich verre van alle soorten kaartspelletjes. Hij was opgehouden met bridge en canasta en pokeren op het moment dat hij begonnen was met de kaars. Sterker nog, hij ragde niet meer rond naar feestjes en logeerpartijen bij zijn rijke vrienden. Hij had zich volledig gewijd aan dit ene doel, zich yogakrachten eigen te maken, en al het andere zou moeten wachten tot hij daarin geslaagd was.
In de tiende maand werd Hendrik er zich op een bepaald moment van bewust – net zoals Imhrat Khan voor hem – dat hij heel vaag een voorwerp kon onderscheiden met zijn ogen dicht. Dat hij wanneer hij zijn ogen sloot en ergens fel geconcentreerd naar staarde, de contouren van het voorwerp waar hij naar keek inderdaad kon zien.
'Het komt!' riep hij. 'Het lukt! Het is fantastisch!'
Nu oefende hij nog harder met de kaars en aan het einde van het eerste jaar kon hij zich werkelijk niet minder dan vijfeneenhalve minuut op het beeld van zijn eigen gezicht concentreren.

Op dat moment besloot hij dat het ogenblik gekomen was om de kaarten te proberen. Hij bevond zich in de zitkamer van zijn flat in Londen, toen hij dat besluit nam.
Het liep tegen middernacht. Hij haalde een pakje speelkaarten en een potlood en papier. Hij beefde van opwinding. Hij legde het stapeltje omgekeerd voor zich neer en concentreerde zich op de bovenste kaart.
Het enige wat hij in het begin zag, was het patroon op de achterkant van de kaart. Het was een heel gebruikelijk patroon van dunne rode lijntjes, een van de meest voorkomende speelkaartpatronen ter wereld.
Hij verlegde nu zijn concentratie van het patroon zelf naar de andere kant van de kaart. Hij concentreerde zich vol overgave op de onzichtbare achterkant van de kaart en sloot zijn geest volledig af voor elke andere gedachte.
Dertig seconden gingen voorbij.
Toen een minuut...
Twee minuten...
Drie minuten...
Hendrik verroerde zich niet. Zijn concentratie was intens en volkomen. Hij riep het beeld van de andere kant van de kaart op. Geen andere gedachte, aan wat dan ook, werd in zijn hoofd toegelaten.
In de vierde minuut begon er iets te gebeuren. Langzaam, op wonderbaarlijke wijze, maar heel duidelijk, werden de zwarte symbolen schoppen en naast de schoppen verscheen het cijfer vijf.
Schoppen vijf!
Hendrik schakelde zijn concentratie uit. En nu nam hij met trillende vingers de kaart en draaide hem om.
Het wás schoppen vijf!
'Gelukt!' riep hij luid en sprong van zijn stoel op. 'Ik heb er doorheen gekeken! Nu ben ik een heel eind!'
Na een kleine rustpauze probeerde hij het opnieuw en dit keer gebruikte hij een stopwatch om te zien hoe lang hij erover deed. Na drie minuten en achtenvijftig seconden zag hij dat de kaart ruiten koning was. En dat was ook zo!

De keer daarna was het weer raak en deed hij er drie minuten en vier en vijftig seconden over. Dat was vier seconden minder.
Hij zweette van opwinding en uitputting. 'Dat is genoeg voor vandaag,' zei hij tegen zichzelf. Hij stond op en schonk zich een enorm glas whisky in en ging zitten uitrusten en zich verkneukelen over zijn succes.
Nu was het zaak, zei hij tegen zichzelf, om te blijven oefenen en oefenen met kaarten tot hij er onmiddellijk doorheen zou kunnen kijken. Hij was ervan overtuigd dat het mogelijk was.
Al bij de tweede keer had hij seconden van de tijd weten af te halen. Hij zou afzien van het werken met de kaars en zich louter op de kaarten concentreren. Dag en nacht zou hij er aan werken.
En dat deed hij ook. Maar nu hij zo dicht bij zijn doel was, werd hij fanatieker dan ooit tevoren. Hij zette geen voet meer buiten zijn flat behalve om eten en drinken te kopen. De hele dag en dikwijls tot diep in de nacht zat hij over de kaarten gebogen met de stopwatch ernaast om te proberen de tijd, die hij nodig had om de achterkant van de kaart te zien, te verminderen.
Binnen een maand was hij tot anderhalve minuut gekomen. En na zes maanden intens geconcentreerd werken kon hij het in twintig seconden. Maar zelfs dat was te lang. Wanneer je in een casino speelt en de gever zit te wachten om te horen of je de volgende kaart wel of niet wilt hebben, dan krijg je heus niet de kans om er twintig seconden naar te staren voor je ja of nee zegt. Drie of vier seconden zou wel gaan. Maar niet meer.
Hendrik bleef volhouden. Het werd steeds moeilijker om het nog vlugger te doen. Om van twintig seconden op negentien te komen kostte hem een week keihard werken. Van negentien op achttien kostte bijna twee weken. En zeven maanden gingen voorbij voor hij door een kaart heen kon kijken in precies tien seconden. Zijn doel was vier seconden. Hij wist dat hij, als hij niet binnen vier seconden door een kaart heen zou kunnen kijken, geen succes zou hebben in de casino's. Maar hoe dichter hij bij zijn doel kwam, hoe moeilijker het werd dat te bereiken. Het kostte vier weken om zijn tijd van tien naar negen seconden terug te brengen, en

nog vijf weken van negen naar acht. Maar in dit stadium kon hard werken hem niet meer schelen. Zijn concentratievermogen was nu zover ontwikkeld dat hij zonder enige moeite twaalf uur lang achter elkaar kon doorwerken. En hij wist volkomen zeker dat hij het uiteindelijk zou halen. Hij zou niet ophouden voor het zover was. Dag na dag, nacht na nacht zat hij over de kaarten gebogen met zijn stopwatch ernaast. Fel en intens vechtend om die laatste halsstarrige seconden eraf te krijgen.

De laatste drie seconden waren verreweg het ergste. Om van zeven seconden op de voorgenomen vier te komen kostte hem precies elf maanden!

Het grote ogenblik brak aan op een zaterdagavond. Er lag een kaart omgekeerd op de tafel voor hem. Hij drukte de stopwatch in en begon zich te concentreren. Meteen zag hij een rode vlek. De vlek nam snel vorm aan en werd een ruit. En, bijna tegelijkertijd, verscheen het cijfer zes in de linkerbovenhoek! Hij drukte de stopwatch in. Vier seconden! Hij draaide de kaart om. Het was ruiten zes! Het was gelukt! Hij had het in precies vier seconden gezien.

Hij probeerde het opnieuw met een andere kaart. In vier seconden zag hij ruiten vrouw. Hij werkte het hele pakje af en nam bij elke kaart steeds de tijd op.

Vier seconden! Vier seconden! Het was steeds hetzelfde! Eindelijk was het gelukt. Het was voorbij! Hij was zover!

En hoelang had hij erover gedaan? Het had hem precies drie jaar en drie maanden fanatiek doorwerken gekost.

En nu op naar de casino's. Wanneer zou hij gaan beginnen?

Waarom vanavond niet? Het was zaterdagavond. Alle casino's zijn propvol op zaterdagavonden. Des te beter. Dan zou hij minder gauw opvallen. Hij ging naar zijn slaapkamer om een smoking aan te trekken. In de grote Londense casino's werd er van je verwacht dat je zaterdagavond in vol ornaat verscheen.

Hij zou naar Lord's House gaan, besloot hij. Er zijn wel meer dan honderd legale casino's in Londen, maar geen ervan is toegankelijk voor het gewone publiek. Je moet er lid van worden voor je binnenkomt. Hendrik was lid van niet minder dan tien casino's. Lord's

House was zijn favoriet. Het was het mooiste en meest exclusieve van het land.

Lord's House was een prachtig herenhuis in het hart van Londen en meer dan tweehonderd jaar was het privé-eigendom van een hertog geweest. Nu was het overgegaan in handen van de beroepswedders en de schitterende hoge kamers, waar mensen van adellijke en vaak ook van koninklijke bloede bijeenkwamen voor een bedaard spelletje whist, waren tegenwoordig vol met een nieuw soort mensen, die een heel ander soort spelletje speelden.

Hendrik reed naar Lord's House en stond stil voor de indrukwekkende ingang. Hij stapte uit, maar liet de motor draaien. Ogenblikkelijk kwam er een bediende met een groen uniform naar voren om de auto voor hem te parkeren.
Langs de stoeprand aan beide kanten van de straat stond misschien wel een dozijn Rolls-Royces. Alleen de hele rijken waren lid van Lord's House.
'Nee maar, meneer Meier!' zei de man achter het bureau, wiens taak het was om nooit een gezicht te vergeten. 'We hebben u in geen jaren gezien!'
'Ik heb het druk gehad,' antwoordde Hendrik.
Hij liep naar boven, de wondermooie trap met zijn gebeeldhouwde mahoniehouten leuningen op, en ging het kantoor van de kassier binnen. Daar schreef hij een cheque uit voor duizend Engelse ponden. De kassier gaf hem tien grote, roze, rechthoekige fiches van plastic. Op alle tien stond £100. Hendrik liet ze in zijn zak glijden en drentelde eerst een paar minuten de verschillende gokzalen door om weer een beetje thuis te raken na zijn lange afwezigheid. Er waren een heleboel mensen vanavond. Goed doorvoede vrouwen stonden om de roulettetafel als vette hennen om de voerbak. Goud en juwelen hingen aan hun halzen en polsen. Heel wat hadden blauw haar. De mannen waren in smoking en er was niet een lange bij. Hoe zou het toch komen, vroeg Hendrik zich af, dat dit speciale soort mannen altijd van die korte beentjes heeft? Hun benen leken

altijd op te houden bij de knie, zonder dijen erboven. Het merendeel had een flinke vooruitstekende buik, een knalrode kop en een sigaar tussen de lippen. Hun ogen glinsterden van hebzucht.
Dit alles viel Hendrik op. Voor het eerst in zijn leven bezag hij dit type rijke casinoklant met afkeer. Tot nu toe had hij hen altijd als kameraden beschouwd, als leden van dezelfde groep en stand als hijzelf. Deze avond kwamen ze hem ordinair voor. Zou het zo zijn, vroeg hij zich af, dat de yogakrachten die hij zich de laatste drie jaren had eigen gemaakt, hem een heel klein beetje veranderd hadden?
Hij stond naar de roulette te kijken. Op de lange groene tafel legden mensen hun geld neer en probeerden te raden in welk vakje het kleine witte balletje terecht zou komen bij de volgende ronde van het wiel. Hendrik keek naar het wiel. En plotseling, misschien meer uit gewoonte dan iets anders, merkte hij dat hij zich erop begon te concentreren. Dat was niet moeilijk. Hij had zijn concentratievermogen zo lang geoefend dat het een soort routine was geworden. In een fractie van een seconde had zijn geest zich volkomen en uitsluitend op het wiel geconcentreerd. Al het andere in de kamer, het lawaai, de mensen, de lichten, de sigarerook, alles werd uit zijn gedachten weggevaagd. Hij zag alleen nog maar het ronde, gepoetste roulettewiel met de kleine witte cijfertjes om de rand. De cijfers gingen van 1 tot 36. Vliegensvlug vervaagden alle cijfers en verdwenen voor zijn ogen. Allemaal op één na, allemaal behalve het cijfer 18. Dat was het enige cijfer dat hij kon zien. Eerst was het een beetje wazig en onduidelijk. Toen werden de randen scherper en werd het wit feller en helderder, tot het begon te gloeien alsof er een helder licht achter scheen. Het werd groter. Het scheen op hem af te springen. Op dat moment schakelde Hendrik zijn concentratie uit. De zaal kwam weer in zijn gezichtsveld terug.
'Bent u allen gereed?' vroeg de croupier net.
Hendrik haalde een van de fiches van £100 uit zijn zak en legde die op het vierkantje met het cijfer 18 op de groene tafel. Al was de tafel helemaal bedekt met de inzetten van andere mensen, de zijne was de enige op 18.

De croupier draaide aan het wiel. Het kleine, witte balletje danste en dartelde de rand rond. De mensen keken toe. Alle ogen waren op het balletje gevestigd. Het wiel ging langzamer. Het kwam tot stilstand. Het balletje schommelde nog een paar keer, aarzelde en rolde toen netjes in het vakje van de 18.
'Achttien!' riep de croupier. Er steeg een zucht op uit het publiek. De assistent van de croupier harkte het stapeltje fiches van de verliezers weg met een houten harkje met een lang handvat. Maar de fiche van Hendrik niet. Ze betaalden hem zesendertig keer zijn inzet terug. Drieduizend-en-zeshonderd voor zijn honderd. Hij kreeg het in drie fiches van duizend en zes van honderd.
Bij Hendrik begon een buitengewoon gevoel van macht op te komen. Hij had het gevoel dat hij de hele zaak kon maken en breken, als hij zin had. Hij kon deze hele luxe, poenige tent in een paar uur ruïneren. Hij zou ze een miljoen afhandig kunnen maken en al die keurige, gladde heren, die met uitgestreken gezichten stonden toe te kijken hoe het geld binnenrolde, als ratten in het nauw laten rondrennen.
Zou hij het doen?
Het was een grote verleiding. Maar dat zou het einde van alles betekenen. Hij zou beroemd worden en nergens ter wereld nog in een casino worden toegelaten. Hij mocht het niet doen. Hij moest heel voorzichtig zijn en geen aandacht trekken.
Hendrik liep nonchalant de roulettezaal uit naar de zaal waar geeenentwintigd werd. Hij stond in de deuropening en keek naar wat daar gebeurde. Er waren vier tafels. Zė hadden een vreemde vorm, die tafels, gebogen als een halve maan, met de spelers op hoge krukken aan de buitenkant van de halve cirkel en de gever daar middenin. De pakjes kaarten (in Lord's House gebruiken ze vier pakjes door elkaar geschud) lagen in een doos met een open kant die 'shoe' genoemd werd. De gever trok de kaarten er een voor een uit te voorschijn met zijn vingers... de achterkant van de eerste kaart was steeds zichtbaar, maar de rest niet.
Blackjack, zoals het in de casino's genoemd wordt, is een heel eenvoudig spel. Wij kennen het ook onder andere namen: twenty-one,

vingt-et-un en eenentwintigen. De speler probeert met zijn kaarten zo dicht mogelijk bij de eenentwintig te komen, maar als hij boven de eenentwintig komt, is hij dood en krijgt de gever zijn geld. Bij vrijwel elke ronde zit de speler met het probleem of hij nog een kaart erbij zal nemen, met het risico te veel te krijgen, of het te laten bij wat hij heeft. Maar Hendrik zou dat probleem niet hebben. In vier seconden zou hij door de kaart die de gever hem aanbood heen gekeken hebben, en zo zou hij weten of hij ja of nee moest zeggen. Hendrik kon van eenentwintigen een lachertje maken.

In alle casino's hebben ze een vervelende regel bij het eenentwintigen, die we thuis niet hebben. Thuis bekijken we eerst onze kaart voor we inzetten, en als het een goede is zetten we hoog in. Bij casino's mag je dat niet. Zij staan erop dat iedereen aan de tafel eerst inzet vóór de eerste kaart is uitgedeeld. En bovendien mag je later niet nog eens je inzet verhogen als je er een kaart bijneemt. Daar zou Hendrik ook geen last van hebben. Als hij maar helemaal links van de gever ging zitten zou hij altijd de eerste kaart uit de doos krijgen bij het begin van iedere ronde. De achterkant van de kaart zou duidelijk zichtbaar zijn en hij zou er doorheen kunnen kijken voor hij inzette.

Nu stond Hendrik rustig in de deuropening en wachtte tot er een plaats vrij kwam aan de linkerkant van de gever bij een van de vier tafels. Hij moest twintig minuten wachten voor het zover was, maar ten slotte kreeg hij de plaats die hij hebben wilde.

Hij ging op de kruk zitten en gaf een van de fiches van £1000 die hij met roulette gewonnen had aan de gever. 'Helemaal in fiches van vijfentwintig graag,' zei hij.

De gever was een vrij jonge man met zwarte ogen en een grauwe huid. Hij glimlachte nooit en zei alleen het hoogst noodzakelijke. Zijn handen waren uitzonderlijk slank en zijn vingers konden uit zichzelf rekenen.

Hij nam Hendriks fiche en liet die in een gleuf in de tafel vallen. Rijen verschillend gekleurde ronde fiches lagen netjes geordend op een houten blad voor hem, fiches van £25, £10 en £5, wel honderd van ieder. Met duim en wijsvinger nam de gever een reeks fiches van £25 en zette ze in een hoge stapel op de tafel neer. Hij hoefde ze niet te tellen. Hij wist dat er precies twintig fiches in het stapeltje zaten. Die vlugge vingers konden met volstrekte nauwkeurigheid elk aantal fiches van een tot twintig pakken zonder zich ooit een keer te vergissen. De gever pakte een tweede reeks van twintig fiches, zodat het er nu bij elkaar veertig waren. Hij schoof ze over de tafel naar Hendrik toe.

Hendrik maakte er een stapeltje van, dat hij voor zich op tafel zette, en terwijl hij daarmee bezig was, wierp hij een blik op de bovenste kaart in de doos. Hij schakelde zijn concentratie in en in vier seconden zag hij dat het een tien was. Hij duwde acht fiches, £200, naar voren. Dit was de maximum inzet die bij blackjack was toegestaan in Lord's House.

Hij kreeg de tien en als tweede kaart kreeg hij een negen, samen negentien.

Iedereen past op negentien. Je houdt je adem in en hoopt dat de gever geen twintig of eenentwintig krijgt.

Dus toen de gever weer bij Hendrik kwam, zei hij 'negentien' en wendde zich tot de volgende speler.

'Wacht even,' zei Hendrik.

De gever stopte en kwam bij Hendrik terug. Hij trok zijn wenkbrauwen op en keek hem aan met zijn koele zwarte ogen. 'U wilt nog een kaart bij negentien?' vroeg hij een tikkeltje sarcastisch. Hij sprak met een Italiaans accent en er klonk zowel hoon als sarcasme in zijn stem. Er waren maar twee kaarten in het spel die je bij negentien kan trekken, de aas (als je die voor één laat tellen) en de twee. Alleen een idioot zou het risico nemen van een extra kaart bij negentien, vooral met een inzet van £200.

De volgende kaart lag duidelijk zichtbaar voor in de doos. Dat wil zeggen: de achterkant van de kaart was duidelijk zichtbaar. De gever had hem nog niet aangeraakt. 'Ja,' zei Hendrik, 'Ik denk dat ik nog maar een kaart neem.'

De gever haalde zijn schouders op en wipte de kaart uit de doos. Schoppen twee viel keurig naast de tien en de negen voor Hendrik neer.

'Dank u,' zei Hendrik, 'Zo is het goed.'
'Eenentwintig,' zei de gever. Zijn zwarte ogen keken Hendrik aan en bleven op zijn gezicht rusten, zwijgend, oplettend, nadenkend. Hendrik had hem uit zijn evenwicht gebracht. Hij had nog nooit meegemaakt dat iemand een extra kaart nam bij negentien. Deze kerel had een extra kaart genomen met een kalmte en een zelfvertrouwen, die hem verbijsterden. En hij had gewonnen.
Hendrik zag de blik in de ogen van de gever en besefte onmiddellijk dat hij een domme fout gemaakt had. Hij had het al te mooi willen doen. Hij had de aandacht getrokken. Dat zou hij nooit meer mogen doen. Hij zou in het vervolg heel voorzichtig moeten zijn met het gebruik van zijn gave. Hij zou zelfs zo nu en dan moeten verliezen en van tijd tot tijd iets doms doen.
Het spel ging verder. Hendriks voordeel was zo geweldig, dat hij moeite had zijn winst tot een redelijke som te beperken. Van tijd tot tijd vroeg hij een extra kaart, terwijl hij wist dat die te hoog zou zijn. En een keer, toen hij zag dat zijn eerste kaart een aas zou zijn, zette hij heel weinig in en deed daarna heel overdreven, alsof hij zich wel voor het hoofd kon slaan dat hij niet hoger had ingezet. Binnen een uur had hij precies drieduizend pond gewonnen, en toen hield hij ermee op. Hij stopte zijn fiches in zijn zak en ging naar het kantoortje van de kassier om ze in te wisselen tegen echt geld.
Hij had £ 3.000 met blackjack en £3.600 met roulette gewonnen. Bij elkaar £6.600. Het had net zo goed £660.000 geweest kunnen zijn. In feite, zei hij tegen zichzelf, kon hij nu zo goed als zeker sneller geld verdienen dan wie ook ter wereld.
De kassier nam Hendriks stapels fiches in ontvangst zonder een spier te vertrekken. Hij droeg een stalen brilletje en de bleke ogen achter het brilletje waren totaal niet geïnteresseerd in Hendrik. Ze keken alleen naar de fiches op de toonbank. Ook van deze man rekenden de vingers uit zichzelf. Maar hij had meer dan dat. Hij had rekenen, goniometrie, algebra, differentiaal en integraal rekenen en Euclidische meetkunde in iedere zenuw van zijn lichaam. Hij was een menselijke rekenmachine met honderdduizend elektrische draadjes in

zijn hersenen. Hij had er vijf seconden voor nodig om Hendriks honderdtwintig fiches neer te tellen.
'Wilt u een cheque, meneer Meier?' vroeg hij. De kassier kende, net als de man beneden bij het bureau, ieder lid bij de naam.
'Nee, dank u,' zei Hendrik. 'Geeft u 't maar contant.'
'Zoals u wilt,' zei de stem achter het brilletje, en hij draaide zich om en liep naar een brandkast achter in het kantoortje, waar miljoenen moeten hebben ingezeten.
Naar de maatstaven van Lord's House was Hendriks winst nogal bescheiden. En voor louche diplomaten uit het Verre-Oosten en Japanse zakenlieden en Engelse belastingontduikende grondspeculanten ook. Elke dag werden er verbijsterende sommen geld gewonnen en verloren, meestal verloren, in de Londense casino's.
De kassier kwam terug met Hendriks geld en legde een stapel bankbiljetten op de toonbank. Al was het genoeg om een klein huis of een grote auto te kopen, het maakte geen enkele indruk op de hoofdkassier van Lord's House. Hij had Hendrik net zo goed een pakje kauwgom kunnen overhandigen, zo weinig notitie nam hij van al het geld dat hij weggaf.
Wacht maar mannetje, dacht Hendrik bij zichzelf terwijl hij het geld in zijn zak stak. Wacht maar eens af jij. Hij liep weg.
'Uw auto, meneer?' vroeg de man in het groene uniform bij de deur.
'Nog niet,' zei Hendrik tegen hem. 'Ik denk dat ik eerst maar eens een luchtje ga scheppen.' Hij slenterde de straat af. Het liep tegen middernacht. De avondlucht was koel en aangenaam. De grote stad was nog klaar wakker. Hendrik voelde de bobbel in de binnenzak van zijn jasje, waar de grote stapel bankbiljetten zat. Met een hand raakte hij de bobbel aan. Hij klopte er zachtjes op. Het was een hoop geld voor een uurtje werken.
En hoe zou de toekomst eruit zien?
Wat zou hij hiermee gaan doen?
Hij kon een miljoen per maand verdienen.
En nog meer ook, als hij wilde. Er was geen limiet aan wat hij zou kunnen verdienen.

Wandelend door de straten van Londen in de koele avondlucht, begon Hendrik plannen te maken.
Wanneer dit een zelfverzonnen verhaal was geweest in plaats van een waargebeurd verhaal, dan zou het nu noodzakelijk zijn een of ander verbazingwekkend en opwindend slot te bedenken. Dat zou niet zo moeilijk zijn. Iets dramatisch en onverwachts. Laten we dus, voor ik vertel wat er in werkelijkheid met Hendrik gebeurde, eens stil staan bij wat een goede verhalenschrijver voor eind aan het verhaal gemaakt zou hebben. Zijn notities zouden er ongeveer zo uitgezien hebben:
1. Hendrik gaat dood. Net als Imhrat Khan heeft hij de code van de yogi overtreden en zijn gave voor zijn eigen persoonlijk gewin misbruikt.
2. Het is het beste om hem dood te laten gaan op de een of andere ongebruikelijke, interessante manier, die de lezer zal verbazen.
3. Bij voorbeeld: hij gaat terug naar zijn flat en gaat zijn geld zitten tellen en zich erover zitten verkneuteren. Terwijl hij dat doet, voelt hij zich ineens niet goed. Hij heeft pijn in zijn borst.
4. Hij wordt bang. Hij besluit onmiddellijk naar bed te gaan om te rusten. Hij doet zijn kleren uit. Naakt loopt hij naar de kast om zijn pyjama te pakken. Hij loopt langs de grote spiegel aan de muur. Hij staat stil. Hij staart naar zijn eigen blote spiegelbeeld. Automatisch, uit gewoonte begint hij zich te concentreren en dan...
5. Plotseling kijkt hij dwars door zijn eigen huid heen. Hij kijkt er op dezelfde manier doorheen als hij even daarvoor door de speelkaarten heen keek. Het is zoiets als een röntgenfoto, alleen stukken beter. Een röntgenstraal ziet alleen de botten en de hele donkere plekken. Hendrik kan alles zien. Hij ziet zijn slagaderen en andere aderen, waar het bloed doorheen gepompt wordt. Hij kan zijn lever zien, zijn hart zien kloppen.
6. Hij kijkt naar de plaats in zijn borst waar de pijn vandaan komt... en hij ziet... of meent te zien... een donker klontje in de slagader die aan de rechterkant naar zijn hart leidt. Wat doet zo'n donker klontje daar in de slagader? Het moet een soort verstopping zijn. Een bloedstolsel!

7. Eerst lijkt het of het klontertje op zijn plaats blijft. Maar dan beweegt het. Een heel klein beetje maar, niet meer dan een millimeter of twee. Het bloed in de ader wordt er tegen aan gepompt, dringt zich er langs en de klont verplaatst zich opnieuw. Hij wordt een centimeter vooruit gerukt. Dit keer naar boven in de richting van het hart. Hendrik kijkt in doodsangst toe. Hij weet, zoals bijna iedereen, dat een stolsel dat losbreekt en in de ader meegevoerd wordt uiteindelijk het hart zal bereiken. En als het stolsel groot genoeg is, blijft het in het hart steken en ga je waarschijnlijk dood...
Dat zou lang geen gek einde zijn voor een verzonnen verhaal. Maar dit is geen verzonnen verhaal. Het is waar gebeurd. De enige onechte dingen erin zijn Hendriks naam en de naam van het casino. Hendrik heette helemaal geen Hendrik Meier. Zijn echte naam moet geheim gehouden worden. Die moet nog steeds geheim gehouden worden. En het spreekt vanzelf dat het casino niet bij zijn echte naam genoemd kan worden. Afgezien daarvan is het hele verhaal echt.
En omdat het een waargebeurd verhaal is, moet het ook de ware afloop krijgen. Die mag dan niet helemaal zo dramatisch of griezelig zijn als een verzonnen eind zou kunnen zijn, maar hij is niettemin toch interessant. Dit is wat in werkelijkheid gebeurde.

Nadat hij ongeveer een uur door de straten had geslenterd, ging Hendrik terug naar Lord's House om zijn auto op te halen. Hij was behoorlijk in de war. Hij kon maar niet begrijpen, waarom zijn enorme succes hem maar zo weinig deed. Als dit hem drie jaar geleden was overkomen, voor hij aan dat yoga-gedoe begon, zou hij buiten zichzelf van opwinding geweest zijn. Hij zou rondgedanst hebben op straat en naar de dichtstbijzijnde nachtclub gevlogen zijn om het te vieren met champagne.
Het eigenaardige was dat hij zich helemaal niet opgewonden voelde. Hij voelde zich melancholiek. Op de een of andere manier was het allemaal veel te gemakkelijk gegaan. Iedere keer dat hij inzette was hij zeker van zijn winst. Er was geen enkele spanning, geen sensatie, geen enkel gevaar dat hij zou verliezen. Hij wist natuurlijk, dat hij van nu af aan de wereld rond zou kunnen reizen en miljoenen

binnen halen, maar zou er nog wel enig plezier aan te beleven zijn?
Zo langzamerhand begon het tot Hendrik door te dringen dat van alles waarvan je zoveel kan krijgen als je maar wilt, het plezier af is. Van geld helemaal.

En nog iets anders. Zou het niet mogelijk zijn, dat het proces dat hij had doorgemaakt om zich yogakrachten te verwerven, zijn hele levenshouding totaal veranderd had?

Zeker was dat mogelijk.

Hendrik reed naar huis en ging meteen naar bed.

De volgende morgen werd hij pas laat wakker. Maar hij voelde zich ook nu niet opgewekter dan de vorige avond. En toen hij opstond en de grote stapel geld op zijn nachtkastje zag liggen, voelde hij plotseling een heftige afkeer. Hij wilde het niet hebben. Waarom dat zo was zou hij van zijn leven niet kunnen verklaren, maar het was een feit dat hij er gewoonweg niks mee te maken wilde hebben.

Hij nam de stapel op. Het was allemaal in briefjes van twintig, driehonderddertig om precies te zijn. Hij liep het balkon van zijn flat op en bleef daar in zijn donkerrode, zijden pyjama naar de straat beneden kijken.

Hendriks flat was in Curzon Street, precies midden in het duurste en deftigste district van Londen, dat Mayfair heet. Hendrik woonde driehoog en buiten zijn slaapkamer was een klein balkonnetje met een smeedijzeren leuning, dat boven de straat uitstak.

De maand was juni, de morgen was vol zonneschijn en de tijd was rond elf uur. Hoewel het zondag was, liepen er toch heel wat mensen te wandelen op de stoep.

Hendrik nam een biljet van twintig pond (dat is bijna honderd gulden) van de stapel af en liet die van het balkon afvallen. Een windvlaag greep het biljet en blies het zijdelings in de richting van Parklane. Hendrik keek het na. Het fladderde en duikelde in de lucht en kwam uiteindelijk neer aan de overkant van de straat, vlak voor de voeten van een oude man. De oude man droeg een lange bruine versleten jas en een verfomfaaide hoed en hij liep langzaam helemaal in zijn eentje. Hij kreeg het biljet in het oog toen het langs zijn hoofd fladderde. Hij stond stil en raapte het op. Hij pakte het met

twee handen beet en staarde ernaar. Hij draaide het om. Hij hield het vlak bij zijn ogen. Toen hief hij het hoofd op en keek omhoog.
'Hee daar!' schreeuwde Hendrik met zijn handen om zijn mond. 'Dat is voor jou! Een cadeautje!' De oude man bleef doodstil staan, met het biljet voor zich, en tuurde naar de man op het balkon.
'Stop in je zak!' schreeuwde Hendrik. 'Neem mee!' Zijn stem droeg een heel eind de straat in en veel mensen bleven staan en keken omhoog.
Hendrik haalde nog een biljet van de stapel en gooide het omlaag. De kijkers beneden verroerden zich niet. Ze keken alleen toe. Ze hadden geen idee van wat er aan de hand was. Er stond een man daar op het balkon en hij had iets geschreeuwd. En nu had hij iets naar beneden gegooid dat eruit zag als een stukje papier. Alle ogen volgden het papiertje, dat naar beneden dwarrelde. Dit kwam neer bij een jong paartje, dat gearmd op de stoep aan de overkant stond. De man trok zijn arm terug en probeerde het voorbijfladderende papiertje te pakken.
Hij miste, maar raapte het van de grond op. Hij bestudeerde het zorgvuldig. De toeschouwers aan beide zijden van de straat keken allemaal naar de jongeman. Velen van hen hadden sterk de indruk gekregen dat het papiertje een of ander bankbiljet was, en nu wachtten ze de uitslag af. 'Twintig pond!' riep de man en sprong op en neer. 'Het is een biljet van twintig pond!'
'Mag je houden!' schreeuwde Hendrik. 'Dat is voor jou!'
'Meen je dat nou?' riep de man, terugzwaaiend met het biljet. 'Mag ik het echt houden?'
Plotseling ging een opgewonden gemompel langs beide kanten van de straat en begonnen ze allemaal tegelijk te lopen. Ze renden naar het midden van de straat en stroomden samen onder het balkonnetje. Ze staken hun armen omhoog en begonnen te roepen. 'En ik! Krijg ik er geen? Gooi er nog eens een, man! Hee, krijgen wij ook wat?'
Hendrik haalde er nog vijf of zes biljetten af en gooide ze naar beneden.
Er werd geschreeuwd en gegild toen de stukjes papier door de wind werden gegrepen en omlaag dwarrelden en er ontstond een mooie

ouderwetse kloppartij op straat toen ze in de buurt van de handen van de menigte kwamen. Maar het ging allemaal uiterst gemoedelijk. De mensen lachten. Ze vonden het een fantastische grap. Daar stond zomaar een man in zijn pyjama driehoog van die waardevolle bankbiljtetten rond te strooien!
Maar nu gebeurde er nog iets anders.
De snelheid waarmee geruchten zich door de straten van een stad verspreiden is fenomenaal. Het gerucht van wat Hendrik aan het doen was flitste als de bliksem door Curzon Street en de kleinere en grotere straten eromheen.
Van alle kanten kwamen mensen aanrennen. Binnen een paar minuten was de straat onder Hendriks balkon volledig geblokkeerd door meer dan duizend mannen, vrouwen en kinderen. Autobestuurders, die er niet door konden komen, kwamen hun auto uit en voegden zich bij de menigte. En plotseling was het een volledige chaos in Curzon Street.
Op dat moment hief Hendrik zijn arm op en met een grote zwaai slingerde hij de hele stapel bankbiljetten de lucht in. Meer dan zesduizend pond dwarrelde omlaag naar de krijsende menigte.
De schermutselingen die daarop volgden waren werkelijk de moeite van het bekijken waard. Mensen sprongen omhoog om de biljetten te pakken voor ze op de grond kwamen en iedereen drong en duwde en struikelde en schreeuwde, en in een mum van tijd was de hele straat één grote kluwen van klauwende, grabbelende, gillende mensen.
Boven al het lawaai uit hoorde Hendrik ineens achter zich in zijn eigen flat de bel van zijn voordeur luid en lang rinkelen. Hij ging van het balkon af en deed de deur open. Een grote politieagent met een zwarte snor stond met zijn handen op de heupen voor de deur. 'U,' bulderde hij boos. 'U bent het! Wat voor de drommel denkt u wel dat u aan het doen bent?'
'Goedemorgen agent,' zei Hendrik. 'Mijn excuses voor die oploop. Ik had geen idee dat het zo uit de hand zou lopen. Ik gaf alleen maar wat geld weg.'
'U veroorzaakt overlast!' bulderde de politieagent. 'U veroorzaakt

opstoppingen. U lokt rellen uit en blokkeert de hele straat!'
'Ik bood u mijn excuses al aan,' antwoordde Hendrik. 'Ik zal het niet meer doen, ik beloof het u. Ze zullen wel gauw weggaan.'
De politieagent nam een hand van zijn heup en toonde een biljet van twintig pond op zijn handpalm.
'Aha,' riep Hendrik, 'u hebt er ook een! Mooi zo! Daar ben ik blij om.'
'Nu geen grapjes meer!' zei de agent. 'Ik heb u een paar serieuze vragen te stellen over deze bankbiljetten.' Hij haalde een notitieboekje uit zijn borstzakje. 'Ten eerste,' ging hij verder, 'hoe komt u er aan?'
'Gewonnen,' zei Hendrik. 'Het was mijn geluksavond.' Hij gaf daarna de naam op van de club waar hij het geld gewonnen had en de politieagent noteerde het in zijn boekje. 'Vraag het maar na,' zei Hendrik daarna. 'Ze zullen u daar wel vertellen dat het waar is.'
De politieman liet het boekje zakken en keek Hendrik recht in de ogen. 'Eerlijk gezegd,' zei hij, 'geloof ik u. Ik denk dat u de waarheid spreekt. Maar dat is geen enkel excuus voor wat u gedaan hebt.'
'Ik deed toch niets kwaads,' zei Hendrik.
'U bent een onnozele hals,' schreeuwde de politieagent, die opnieuw razend werd. 'U bent een ezel, een stomme idioot! Als je zo gelukkig bent om een enorme som geld te winnen en je wilt het weggeven, dan gooi je het toch niet zomaar het raam uit!'
'Waarom niet?' vroeg Hendrik grinnikend. 'Die manier is even goed als elke andere om er vanaf te komen.
'Het is een allemachtig stompzinnige manier om ervan af te komen,' riep de politieagent. 'Waarom geeft u het niet weg aan mensen die er iets goeds mee kunnen doen? Aan een ziekenhuis bijvoorbeeld? Of aan een weeshuis? Het stikt hier in het land van de weeshuizen, die nauwelijks geld genoeg hebben om een cadeautje voor de kinderen te kopen met Kerstmis! En dan komt daar zo'n stuk onbenul als u, die nog niet dàt weet van wat het is om de eindjes aan elkaar te moeten knopen, en gooit me daar dat spul zomaar de straat op! Het is om razend te worden, en dat ben ik ook!'

'Een weeshuis?' zei Hendrik.
'Ja, een *weeshuis*!' riep de politieagent. 'Ik ben erin opgegroeid, dus ik kan weten hoe het daar is!' Met die woorden draaide de agent zich om en liep vlug de trap af naar de straat.
Hendrik bleef doodstil staan. De woorden van de politieagent en in het bijzonder de welgemeende woede waarmee ze waren uitgesproken hadden onze held precies in het hart getroffen.
'Een weeshuis?' zei hij hardop. 'Dat is een idee. Maar waarom maar één weeshuis? Waarom niet een heleboel?' En zo ontstond in zijn hoofd het grootse, wonderbaarlijke plan, dat alles zou veranderen.
Hendrik deed de voordeur dicht en ging zijn flat weer binnen. Hij voelde op dat moment een machtige opwinding in zijn ingewanden. Hij begon te ijsberen en alles op te sommen wat zijn wonderbaarlijke plan mogelijk zou maken.
'Ten eerste,' zei hij. 'Ik kan mijn leven lang elke dag aan grote sommen geld komen.
Ten tweede. Ik mag nooit meer dan eens per twaalf maanden in hetzelfde casino komen.
Ten derde. Ik mag niet teveel tegelijk winnen in een en hetzelfde casino, anders wek ik achterdocht. Ik denk dat ik het maar het beste tot twintigduizend pond per avond kan beperken.
Ten vierde. Twintigduizend pond per avond op driehonderdvijfenzestig dagen per jaar, dat maakt bij elkaar?'
Hendrik pakte potlood en papier en rekende het uit.
'Dat maakt zeven miljoen en driehonderdduizend pond,' zei hij hardop.
'Goed dan. Ten vijfde. Ik zal steeds onderweg moeten blijven. Niet meer dan twee of drie dagen achter elkaar in een stad blijven, anders wordt erover gepraat. Van Londen naar Monte Carlo. Dan naar Cannes. Naar Biarritz. Naar Deauville. Naar Las Vegas. Naar Mexico City. Naar Buenos Aires. Naar Nassau. En zo voorts.
Ten zesde. Met het geld dat ik verdien, zal ik in ieder land dat ik bezoek een volstrekt eersteklas weeshuis stichten. Ik zal een soortement Robin Hood worden. Ik neem het geld af van de beroepswedders en eigenaars van goktenten, en geef het aan de kinderen.

Klinkt dat slap en sentimenteel? Als het een droom is wel, maar als werkelijkheid, als plan dat ik echt zou kunnen uitvoeren, is het helemaal niet slap of sentimenteel. Dan is het eerder grandioos.
Ten zevende. Ik moet iemand hebben om me te helpen, iemand die thuis blijft om voor al dat geld te zorgen en de huizen te kopen en de hele zaak te organiseren. Een man die wat van geld af weet. Iemand die ik kan vertrouwen. Wat zou je van John Winston denken?'

John Winston was Hendriks accountant. Hij behandelde zijn belastingen, zijn beleggingen en alle andere problemen die met geld te maken hebben. Hendrik kende hem al achttien jaar en de beide mannen waren vrienden geworden.

Bedenk alleen wel, dat tot op dat moment John Winston Hendrik alleen kende als een rijke luie playboy, die zijn hele leven nog geen vinger had uitgestoken.

'Je bent gek,' zei John Winston toen Hendrik hem van zijn plan vertelde. 'Niemand heeft ooit een systeem kunnen bedenken om de casino's te verslaan.'

Uit zijn zak haalde Hendrik een splinternieuw ongeopend spel kaarten. 'Vooruit,' zei hij, 'laten we een spelletje eenentwintigen. Jij geeft. En nou niet gaan beweren dat die kaarten gemerkt zijn. Het is een nieuw spel.'

Bijna een uur lang zaten de mannen plechtig in Winstons kantoor te eenentwintigen. Ze gebruikten lucifers bij wijze van fiches, die ieder vijfentwintig pond waard waren. Na vijftig minuten had Hendrik niet minder dan vierendertigduizend pond gewonnen!

John Winston kon het maar niet geloven. 'Hoe doe je dat toch?' vroeg hij.

'Leg het spel eens op tafel,' zei Hendrik. 'Ondersteboven.'

Winston deed het.

Hendrik concentreerde zich vier seconden op de bovenste kaart. 'Dat is harten boer,' zei hij. Die was het ook. 'De volgende is... harten drie.' Die was het ook. Zo werkte hij het hele spel af. Alle kaarten opnoemende.

'Toe dan,' zei John Winston. 'Vertel dan hoe je dat doet.' Deze anders zo bedaarde mathematische man leunde voorover op zijn bureau en staarde Hendrik aan met ogen zo groot en helder als twee sterren.

'Besef je wel dat je iets doet wat volslagen onmogelijk is?' vroeg hij.

'Niet onmogelijk,' zei Hendrik. 'Het is alleen maar heel erg moeilijk. Ik ben de enige man ter wereld die het kan.'

De telefoon op John Winstons bureau ging. Hij nam de hoorn van de haak en zei tegen zijn secretaresse: 'Geen telefoontjes meer, Susanne, tot ik het zeg. Zelfs van mijn vrouw niet.' Hij keek op en wachtte tot Hendrik verder zou gaan.

Hendrik legde John Winston toen precies uit hoe hij die kunst meester was geworden. Hij vertelde hem hoe hij het schrift gevonden had en over Imhrat Khan, en beschreef vervolgens hoe hij de afgelopen drie jaar onophoudelijk gewerkt had om te leren zich te concentreren.

Toen hij klaar was vroeg John Winston: 'Heb je geprobeerd op vuur te lopen?'

'Nee,' zei Hendrik 'En dat ga ik niet doen ook.'

'En denk je echt dat je het ook bij de kaarten in een casino kunt doen?'

Toen vertelde Hendrik hem van zijn bezoek aan Lord's House de vorige avond.

'Zesduizendzeshonderd pond!' riep John Winston.' Heb je eerlijk zoveel geld, echt geld, gewonnen?'

'Hoor es,' zei Hendrik, 'ik heb net vierendertigduizend pond van jou gewonnen in minder dan een uur.'

'Dat is waar ook.'

'Zesduizend was het allerminste wat ik kon winnen,' zei Hendrik. 'Het kostte me de grootste moeite niet meer te winnen.'

'Je zult de rijkste man ter wereld worden.'

'Ik wil helemaal niet de rijkste man ter wereld zijn,' zei Hendrik. 'Nu niet meer.' En toen vertelde hij hem van zijn plan voor de weeshuizen.

Toen hij klaar was, vroeg hij: 'Wil je meedoen, John? Wil je mijn

beheerder, mijn bankier, mijn boekhouder en alles wat daar nog bij komt worden? Elk jaar zullen miljoenen binnenstromen.'
John Winston, een voorzichtig en bedachtzaam accountant, wilde niet zomaar meteen beslissen.
'Ik wil het je eerst wel eens zien doen,' zei hij.
Dus gingen ze die avond samen naar de Ritz Club. 'Voorlopig kan ik nu niet meer naar Lord's House,' zei Hendrik.
Bij de eerste draai van het roulettewiel zette Hendrik £100 op nummer zevenentwintig. Dat werd het. De tweede keer zette hij het op nummer vier. Dat werd het ook. Bij elkaar £7.500 winst.
Een Arabier die naast Hendrik stond, zei: 'Ik heb net vijfenvijftigduizend pond verloren. Hoe doe je dat?'
'Geluk,' zei Hendrik. 'Gewoon geluk.'
Ze gingen naar de kamer waar eenentwintigen werd gespeeld, en daar won Hendrik nog eens £10.000, in een half uurtje. Toen hield hij ermee op.
Buiten op straat zei John Winston: 'Nu geloof ik je. Ik doe mee.'
'Morgen gaan we beginnen,' zei Hendrik.
'Ben je echt van plan dit elke avond te doen?'
'Ja,' zei Hendrik. 'Ik zal heel snel van de ene plaats naar de andere, van het ene land naar het andere reizen. En elke dag zal ik je de opbrengst overmaken via de banken.'
'Besef je wel hoeveel dat jaarlijks gaat worden?'
'Miljoenen,' zei Hendrik opgewekt. 'Zo'n zeven miljoen per jaar.'
'In dat geval kan ik niet in dit land blijven,' zei John Winston. 'Anders pikt de belasting alles in.'
'Ga waarheen je wilt,' zei Hendrik. 'Mij maakt het niet uit. Ik vertrouw je volledig.'
'Ik zal naar Zwitserland gaan,' zei John Winston. 'Maar morgen nog niet. Ik kan niet zomaar ineens opstappen en wegvliegen. Ik ben geen loslopende vrijgezel zoals jij, zonder verantwoordelijkheden. Ik moet er met mijn vrouw en kinderen over praten. Ik moet het mijn medefirmanten mededelen. Ik moet mijn huis verkopen. Ik moet een ander huis in Zwitserland zoeken. Ik moet mijn kinderen van school nemen. Beste man, al die dingen kosten tijd!'

Hendrik haalde de £17.500 die hij net gewonnen had, uit zijn zak en overhandigde ze de ander.
'Hier is wat contant geld om je door de eerste dagen heen te helpen, tot je je ergens gevestigd hebt,' zei hij. 'Maar schiet wel op, ik wil wel graag gauw beginnen.'
Binnen een week zat John Winston in Lausanne, in een kantoor hoog tegen de prachtige berghelling boven het meer van Genève. Zijn gezin zou zo snel mogelijk daarna komen. En Hendrik ging aan het werk in de casino's.

Een jaar later had hij iets meer dan acht miljoen pond aan John Winston in Lausanne overgemaakt. Vijf dagen per week werd het geld overgemaakt aan een Zwitserse firma met de naam Weeshuizen b.v. Niemand, behalve John Winston en Hendrik, wist waar het geld vandaan kwam of waar het naar toe ging. Wat de Zwitserse overheid betreft: die wil nooit weten waar geld vandaan komt. Hendrik stuurde het geld altijd via de banken. Het bedrag dat maandags werd overgemaakt was altijd het grootst, want daar zat de opbrengst van vrijdag, zaterdag en zondag bij – de dagen dat de banken dicht zijn. Hendrik reisde rond met verbazingwekkende snelheid, en vaak was de enige aanwijzing die John Winston had voor zijn verblijfplaats, het adres van de bank die op een bepaalde dag het geld doorstuurde. De ene dag zou het misschien van een bank in Manilla komen. De volgende dag uit Bangkok. Het kwam uit Las Vegas, uit Curaçao, uit Freeport, uit Grand Cayman, uit San Juan, uit Nassau, uit Londen, uit Biarritz. Het kwam overal vandaan, van de gekste plaatsen, wanneer er maar een casino stond.

Zeven jaren lang ging alles goed. Bijna vijftig miljoen pond was naar Lausanne overgemaakt en stond veilig op de bank. Nu al had John Winston drie weeshuizen gesticht, een in Frankrijk, een in Engeland en een in de Verenigde Staten. Nog vijf andere waren in oprichting.
Toen kwamen er moeilijkheden. Nieuws verspreidt zich snel onder casino-eigenaren en hoe uiterst behoedzaam Hendrik ook te werk

ging, door nooit teveel op één plaats in één avond te winnen, het was onvermijdelijk dat het ten slotte toch een keer zou uitlekken. Het liep mis toen Hendrik nogal onvoorzichtig op een avond in Las Vegas honderdduizend dollar wegsleepte uit drie verschillende casino's, die ongelukkigerwijze alle drie aan dezelfde bende toebehoorden.

Dit was wat er gebeurde. De volgende ochtend, toen Hendrik op zijn hotelkamer aan het inpakken was om naar het vliegveld te gaan, werd er op zijn deur geklopt. De liftboy kwam binnen en fluisterde Hendrik toe, dat twee mannen hem op stonden te wachten in de hall van het hotel. Nog weer andere mannen, zei de liftboy, bewaakten de achteruitgang. Het waren geen kleine jongens, zei de liftboy, en hij gaf geen cent voor Hendriks leven als hij nu naar beneden zou gaan.

'Waarom kom je mij dat vertellen?' vroeg Hendrik hem. 'Waarom ben je op mijn hand?'

'Ik ben op niemands hand,' zei de liftboy. 'Maar we weten allemaal dat u gisteravond een hoop geld gewonnen hebt, en ik dacht zo dat u me wel een leuke fooi zou geven voor de tip.'

'Bedankt,' zei Hendrik. 'Maar hoe red ik me hieruit? Ik zal je duizend dollar geven, als je me hieruit redt.'

'Dat is gemakkelijk genoeg,' zei de liftboy. 'Doe uw eigen kleren uit en trek mijn uniform aan. Dan wandelt u gewoon door de hall met uw koffer. Maar bindt me wel vast voor u weggaat. Ik moet hier met handen en voeten vastgebonden op de grond liggen, zodat ze niet op het idee komen dat ik u geholpen heb. Ik zeg wel dat u een revolver had en ik er niets aan kon doen.'

'Hoe kom ik aan touw om je vast te binden?' vroeg Hendrik.

'Hier in mijn zak,' zei de liftboy grijnzend.

Hendrik trok het goud met groene uniform van de liftboy aan, dat hem niet eens zo slecht paste. Toen bond hij de man stevig vast met het touw en propte een zakdoek in zijn mond. Ten slotte schoof hij tien biljetten van honderd dollar onder het tapijt, die de liftboy later op zou kunnen halen.

Beneden in de hall stonden twee korte, brede, zwartharige misdadi-

gers de mensen die uit de lift kwamen te bestuderen. Maar ze hadden nauwelijks oog voor de man in het goudgroene uniform, die met een koffer dwars door de hall stapte en door de klapdeuren naar buiten liep.
Op het vliegveld wisselde Hendrik zijn kaartje in en nam het volgende vliegtuig naar Los Angeles. Van nu af aan zou het allemaal niet meer zo gesmeerd gaan, zei hij tegen zichzelf. Maar de liftboy had hem op een idee gebracht.
In Los Angeles en in het nabijgelegen Hollywood en Beverly Hills, waar de filmsterren wonen, zocht Hendrik de allerbeste grimeur op die er was. Dat was Max Engelman. Hendrik ging bij hem op bezoek. Hij mocht hem onmiddellijk.
'Hoeveel verdien je?' vroeg Hendrik hem.
'Nou, zo'n veertigduizend dollar per jaar,' vertelde Max hem.
'Ik bied je honderdduizend,' zei Hendrik, 'wanneer je met me meegaat en mijn grimeur wordt.'
'Wat is precies de bedoeling?' vroeg Max.
'Dat zal ik je vertellen,' zei Hendrik. En dat deed hij.
Max was pas de tweede die Hendrik het verteld had. John Winston was de eerste. En toen Hendrik Max liet zien hoe hij door speelkaarten heen kon kijken, was Max totaal verbluft.
'Grote hemel, man!' riep hij. 'Daar kun je een kapitaal mee verdienen!'
'Heb ik al,' zei Hendrik. 'Ik heb al tien kapitalen verdiend. Maar ik wil er nog tien bij verdienen.' Hij vertelde Max over de weeshuizen. Hoe hij met behulp van John Winston er al drie opgezet had, met nog meer in het vooruitzicht.
Max was een kleine man met een donkere huid, die Wenen ontvlucht was toen de nazi's binnenvielen. Hij was nooit getrouwd. Hij had geen banden. Hij werd dolenthousiast. 'Te gek!' riep hij. ''t Is het gekste wat ik ooit van mijn leven gehoord heb. Ik doe mee, man! Laten we gaan!'
Vanaf die dag reisde Max Engelman overal met Hendrik mee naar toe en in een hutkoffer had hij een verzameling pruiken, valse baarden, snorren, bakkebaarden en schminkspullen, zoals je nog nooit

gezien hebt. Hij kon zijn baas in zeker dertig of veertig verschillende onherkenbare types veranderen, en de casino-eigenaren, die nu allemaal naar Hendrik op de loer lagen, zagen hem nooit meer als meneer Hendrik Meier. Het is zelfs een feit dat nog geen jaar na de toestand in Las Vegas, Hendrik en Max naar die gevaarlijke stad teruggingen, en op een warme heldere avond sleepte Hendrik kalmpjes tachtigduizend dollar weg uit het eerste van de grote casino's die hij destijds bezocht had. Hij ging vermomd als een oude Braziliaanse diplomaat, en ze hebben nooit enig idee gehad wat ze overkwam.

Nu Hendrik niet langer als zichzelf naar de casino's ging, waren er natuurlijk wel een paar andere problemen die opgelost moesten worden, zoals valse identiteitskaarten en paspoorten. In Monte Carlo bijvoorbeeld moet elke bezoeker altijd zijn paspoort tonen voor hij het casino in mag. Hendrik bezocht Monte Carlo nog elf keer met Max' hulp, elke keer met een ander paspoort en een andere vermomming.

Max was dol op zijn werk. Hij vond het heerlijk om nieuwe types voor Hendrik te verzinnen. 'Ik heb vandaag een hele nieuwe voor je!' kondigde hij dan aan, 'wacht maar tot je het ziet! Vandaag ben je een Arabische sjeik uit Koeweit!'

'Hebben we wel een Arabisch paspoort?' vroeg Hendrik dan. 'En Arabische papieren?'

'We hebben alles,' antwoordde Max. 'John Winston heeft me een prachtig paspoort gestuurd, op naam van zijne koninklijke hoogheid sjeik Aboe Bin Bey!'

En zo ging het door. In die jaren raakten Max en Hendrik aan elkaar gehecht als broeders. Broeders die gezamenlijk op kruistocht waren; twee mannen die snel rondvlogen om de casino's van de wereld te plukken, en die het geld regelrecht overmaakten aan John Winston in Zwitserland, waar de firma met de naam Weeshuizen b.v. steeds rijker en rijker werd.

Hendrik is vorig jaar gestorven, drieënzestig jaar oud, toen zijn doel bereikt was. Hij had er bijna twintig jaar aan gewerkt.

In zijn adresboekje stonden driehonderdeenenzeventig grote casino's, in of op eenentwintig verschillende landen of eilanden. Hij had ze allemaal dikwijls bezocht en nooit een cent verloren.
Volgens de berekeningen van John Winston heeft hij bij elkaar honderdvierenveertig miljoen pond verdiend.
Hij liet eenentwintig goed verzorgde weeshuizen na, over de gehele wereld verspreid, een in ieder land dat hij bezocht. Deze werden allemaal bestuurd en gefinancierd vanuit Lausanne, door John Winston en zijn staf.
Maar hoe ben ik, die noch Max Engelman noch John Winston ben, dit alles te weten gekomen? En hoe ben ik ooit op het idee gekomen dit verhaal te schrijven?
Dat zal ik vertellen.
Kort na de dood van Hendrik kreeg ik een telefoontje uit Zwitserland van John Winston. Hij stelde zich simpelweg voor als hoofd van de firma die Weeshuizen b.v. heette, en vroeg me of ik bij hem in Lausanne wilde komen om een verhaal over die organisatie te schrijven. Ik weet niet hoe hij aan mijn naam kwam. Hij had waarschijnlijk een hele lijst van schrijvers waar hij willekeurig in prikte. Hij zou me goed betalen, zei hij. En hij voegde er aan toe: 'Kort geleden is een opmerkelijk man gestorven. Zijn naam was Hendrik Meier. Ik vind dat de mensen moeten weten wat hij gedaan heeft.'
In mijn onwetendheid vroeg ik hem of het verhaal wel interessant genoeg was om op papier te zetten.
'Goed,' zei de man, die nu honderdvierenveertig miljoen pond beheerde, 'laat maar zitten. Ik vraag het wel aan iemand anders. Schrijvers genoeg.'
Dat prikkelde me. 'Nee, nee,' zei ik, 'wacht eens. Kunt u me dan niet tenminste vertellen wie die Hendrik Meier was en wat hij gedaan heeft? Ik heb nog nooit van hem gehoord.'
In vijf minuten vertelde John Winston mij over de telefoon iets van Hendrik Meiers geheime leven. Nu was het geen geheim meer. Hendrik was dood en zou nooit meer gokken. Ik luisterde ademloos.
'Ik neem het eerstvolgende vliegtuig,' zei ik.

'Bedankt,' zei John Winston, 'dat stel ik zeer op prijs.'
In Lausanne ontmoette ik John Winston, nu over de zeventig, en ook Max Engelman, die ongeveer even oud was. Ze waren allebei nog steeds kapot van Hendriks dood. Max zelfs nog meer dan John Winston, want Max had hem meer dan dertien jaar overal heen vergezeld.
'Ik hield van hem,' zei Max en er gleed een schaduw over zijn gezicht. 'Het was een groot man. Hij dacht nooit aan zichzelf. Hij hield nooit een cent van het geld dat hij won, voor zichzelf, behalve dan wat hij voor zijn reizen en eten nodig had. We waren eens in Biarritz en hij kwam net van de bank waar hij een half miljoen francs gebracht had, om naar John te sturen. Het was tussen de middag. We gingen naar een eethuisje en aten een hapje, een omelet en een fles wijn, en toen de rekening kwam had Hendrik niets meer om te betalen. En ik ook niet. Het was een prachtmens.'
John Winston vertelde me alles wat hij wist. Hij liet me het oorspronkelijke donkerblauwe schrift zien dat dr. John Cartwright in 1934 in Bombay had geschreven, en ik schreef het woord voor woord over.
'Hendrik had het altijd bij zich,' zei John Winston. 'Op het laatst kende hij het helemaal uit zijn hoofd.'
Hij liet me de boeken van Weeshuizen b.v. zien, waarin Hendriks verdiensten dag na dag waren bijgehouden, twintig jaar lang, en het was verbijsterend om te zien.
Toen hij klaar was zei ik tegen hem. 'Er zit een groot hiaat in dit verhaal, meneer Winston. U hebt me bijna niets verteld over Hendriks reizen en zijn avonturen in de casino's van over de hele wereld.'
'Dat is Max' verhaal,' zei John Winston. 'Max weet daar alles van omdat hij erbij was, maar hij zegt dat hij zelf wil proberen dat te schrijven. Hij is er al aan begonnen.'
'Nou, waarom schrijft Max dan het hele verhaal niet?' vroeg ik.
'Dat wil hij niet,' zei John Winston. 'Hij wil alleen maar over Hendrik en Max schrijven. Het moet een fantastisch verhaal zijn, als hij het ooit af krijgt. Maar hij is oud, net als ik, en ik betwijfel of het hem zal lukken.'

'Nog een laatste vraag,' zei ik. 'U noemt hem steeds Hendrik Meier. En toch was dat niet zijn eigenlijke naam, zegt u. Wilt u niet dat ik vertel wie hij in werkelijkheid was, wanneer ik het verhaal schrijf?'

'Nee,' zei John Winston. 'Max en ik hebben beloofd dat nooit te onthullen. O, het zal waarschijnlijk wel uitlekken, vroeger of later. Ten slotte was hij van een vrij bekende Engelse familie. Maar ik zou het op prijs stellen, als u dat niet zou proberen uit te vissen. Noem hem maar gewoon meneer Hendrik Meier.'

En dat heb ik gedaan.

Een buitenkansje

(Hoe ik schrijver werd)
Een schrijver is iemand die verhalen verzint. Maar hoe begin je met zo'n beroep? Hoe wordt iemand een echte beroepsschrijver? Charles Dickens vond het makkelijk. Toen hij vierentwintig jaar oud was ging hij gewoon zitten en schreef de *Pickwick Papers*, wat onmiddellijk een bestseller werd. Maar Dickens was een genie, en genieën zijn anders dan wij.
In deze eeuw (in de vorige was dat niet altijd zo) is bijna iedere schrijver die uiteindelijk succes kreeg, begonnen in een heel ander beroep, onderwijzer misschien, of dokter, journalist of advocaat. (*Alice in Wonderland* is geschreven door een wiskundige, en *De wind in de wilgen* door een ambtenaar.) De eerste pogingen om te schrijven moesten ze daarom in hun vrije tijd doen, meestal 's nachts.
De reden hiervoor spreekt vanzelf. Wanneer je volwassen bent moet je je brood verdienen. En om je brood te verdienen, moet je een baan hebben. Zo mogelijk moet je een baan zien te krijgen die je een vast inkomen per week garandeert. Maar hoe graag je van het schrijven je beroep wilt maken, het zou zinloos zijn naar een uitgever te stappen en te zeggen: 'Ik wil een baan als schrijver.' Als je dat deed, zou hij je vertellen op te hoepelen en eerst maar eens dat boek te schrijven. En zelfs wanneer je met een kant en klaar boek bij hem aankwam en hij dat goed genoeg vond om uit te geven, dan nog zou hij je geen baan geven. Hij geeft je misschien een voorschot van een paar duizend gulden, maar dat zou hij later weer van je royalty's aftrekken. (Een royalty, tussen twee haakjes, is het geld dat een schrijver van een uitgever krijgt voor ieder boek dat verkocht wordt. Het gemiddelde dat een schrijver krijgt is tien procent van de prijs van het boek in de boekhandel. Dus krijgt een schrijver voor een boek dat voor veertig gulden verkocht wordt vier gulden. Voor een pocketboek van vijf gulden zou hij vijftig cent krijgen.)
Het komt vaak voor dat een hoopvolle romanschrijver twee jaar

al zijn vrije tijd gebruikt om een boek te schrijven, dat geen enkele uitgever wil uitgeven. Daar krijgt hij helemaal niets voor, behalve een gevoel van frustratie.
Als hij geluk heeft en zijn boek door een uitgever wordt geaccepteerd, dan is de kans groot dat van zo'n eerste boek uiteindelijk nog maar drieduizend stuks worden verkocht. Dat levert hem op zijn best tienduizend gulden per jaar op. De meeste boeken kosten minstens een jaar schrijven en tienduizend gulden is tegenwoordig niet genoeg om van te leven. Dus je begrijpt waarom een aspirant schrijver altijd begint in een ander beroep. Als hij dat niet doet, dan heeft hij niks te eten.
Hier zijn een paar eigenschappen die je moet hebben of je eigen moet maken wanneer je schrijver wilt worden:
1. Je moet een levendige fantasie hebben.
2. Je moet goed kunnen schrijven. Daarmee bedoel ik dat je een bepaalde gebeurtenis bij de lezer moet kunnen laten leven. Dat kan niet iedereen. Dat is een talent, dat je hebt of niet.
3. Je moet doorzettingsvermogen hebben, met andere woorden je moet kunnen doorgaan zonder op te geven, uur na uur, dag na dag, week na week en maand na maand.
4. Je moet een perfectionist zijn. Dat betekent dat je niet tevreden mag zijn met wat je geschreven hebt tot je het over en overgeschreven hebt, tot je zeker weet dat je niet beter kan.
5. Je moet veel zelfdiscipline hebben. Je werkt alleen. Je bent bij niemand in dienst. Niemand zal je ontslaan als je niet aan 't werk gaat, of je een standje geven wanneer je het erbij laat zitten.
6. Het helpt een hoop als je gevoel voor humor hebt. Bij het schrijven voor volwassenen is dat niet absoluut noodzakelijk, maar voor kinderen is het essentieel.
7. Je moet bescheiden zijn. De schrijver die zijn werk geweldig vindt krijgt moeilijkheden.

Laat ik jullie vertellen hoe ik door een achterdeur in de schrijverij belandde.
Toen ik acht jaar oud was, in 1924, werd ik naar kostschool gestuurd

in een stadje dat Weston-super-Mare heette, aan de zuidwestkust van Engeland. Dat waren dagen van angst, van harde discipline, van niet praten op de slaapzaal, niet hollen in de gang, geen enkele slordigheid, niet dit, niet dat, niks niet, alleen maar regels, regels en nog meer regels, waar je je aan te houden had. En de angst voor het gevreesde rietje hing de hele tijd boven ons hoofd, als de angst voor de dood. 'Je wordt in de studeerkamer van het hoofd verwacht.' Woorden van noodlot, die de koude rillingen over je maagwand joegen. Maar je ging, negen jaar oud misschien, door de lange, grauwe gangen en door een poortje, dat naar het privéterrein van het hoofd leidde, waar je alleen maar verschrikkingen wachtten en de geur van pijptabak zwaar in de lucht hing als wierook.

Was moeder maar hier, zei je tegen jezelf, zij zou dit nooit hebben laten gebeuren. Ze was niet hier. Je was alleen. Je hief een hand en klopte zachtjes, één keer.

'Binnen. Aja, daar hebben we Dahl. Wel, Dahl, het is ter mijner attentie gebracht, dat jij gisteravond gepraat hebt tijdens het studie-uur.'

'Ja maar, meneer, ik had mijn punt gebroken en ik vroeg alleen maar aan Jenkins of hij mij een potlood kon lenen.'

'Praten tijdens het studie-uur is niet toegestaan. Dat weet je heel goed.' En deze reus van een man liep al naar de hoge hoekkast en reikte naar boven, waar zijn rietjes lagen.

'Jongens die de regels overtreden moeten gestraft worden.'

'Maar... maar... mijn punt was gebroken... en ik...'

'Dat is geen excuus. Ik zal je moeten leren dat van praten tijdens het studie-uur niets goeds komt.' Hij pakte een rietje, dat bijna een meter lang was, met een gebogen handvat aan het uiteinde. Het was dun en wit en zwieperig.

'Buig je voorover, zodat je vingers je tenen raken. Daar bij het raam.'

'Maar meneer...'

'Niet tegenspreken. Doe wat ik zeg.'

Ik boog voorover. En wachtte. Hij liet je altijd zo'n tien seconden

wachten, tot je knieën begonnen te knikken.
'Lager jongen! Raak je tenen aan!'
Ik staarde naar de punten van mijn zwarte schoenen en vertelde mezelf dat zo meteen die man mij met zijn stok zo hard zou afranselen, dat mijn achterwerk volkomen van kleur zou veranderen. De striemen waren altijd heel lang en liepen precies over beide billen, blauwzwart met helrode randen, en wanneer je daarna heel voorzichtig je vingers er overheen liet glijden, voelde je de inkepingen.
Zzwizz...! Krak!
Dan kwam de pijn. Die was ongelofelijk, ondraaglijk, verschrikkelijk. Het was alsof iemand een withete pook op je achterwerk legde en flink aandrukte.
De tweede slag kwam zo meteen en het kostte je al je zelfbeheersing niet je handen omhoog te steken om hem af te weren. Dat was de instinctieve reactie. Maar als je dat deed zouden je vingers gebroken worden.
Zzwizz...! Krak!
De tweede kwam precies naast de eerste terecht en de withete pook drukte dieper en dieper in de huid.
Zzwizz...! Krak!
Bij de derde slag bereikt de pijn het toppunt. Erger kon niet. Op geen enkele manier kon de pijn intenser worden. Alle slagen daarna *verlengden* de marteling alleen maar. Je probeerde het niet uit te schreeuwen. Soms kon je het niet helpen. Maar of je je nu stil kon houden of niet, het was onmogelijk je tranen in te houden. Die stroomden langs je wangen en drupten op het tapijt.
Het belangrijkste was nooit op te veren of overeind te komen wanneer je geraakt werd. Als je dat deed, kreeg je er nog een extra.
Langzaam, bedaard de tijd er voor nemend, diende het hoofd de volgende drie slagen toe. Zes in totaal.
'Je kunt gaan.' De stem leek uit een grot, mijlen ver weg, te komen, en langzaam kwam je overeind, in een waas van pijn. Je greep met beide handen je brandende billen vast, zo stevig als je maar kon, en stapte de kamer uit op de uiterste puntjes van je tenen.
Dat wrede rietje regeerde ons leven. We werden geslagen voor

praten in de slaapzaal nadat de lichten uit waren, voor praten onder de les, voor slechte prestaties, voor het uitsnijden van je initialen in de bank, voor over muren klimmen, voor slordig er uit zien, voor het gooien met paperclips, voor het vergeten 's avonds je slof-fen aan te doen, voor het niet ophangen van je gymkleren, en vooral voor de minste geringste aanstoot aan welke meester dan ook. Met andere woorden we kregen slaag voor alles wat kleine jongens normaal doen.

Dus pasten we op onze woorden. En we pasten op onze tellen. Lieve hemel, wat pasten wij op onze tellen. We werden ongelofelijk waakzaam. Waar we ook gingen, wat we ook deden, altijd waren we op onze hoede, met schichtig omhoog gestoken oren, zoals wilde dieren, die bedacht op gevaar door de bossen sluipen.

Naast de meesters was er nog een man op school waar we vreselijk bang voor waren. Dat was meneer Pople. Meneer Pople was een pafferige kerel met een knalrode kop, die als conciërge, portier en manusje van alles fungeerde. Zijn macht ontleende hij aan het feit dat hij ons voor wat dan ook bij het hoofd kon aangeven en dat liet hij dan ook niet na. Zijn grote moment kwam elke ochtend om precies half acht, wanneer hij aan het einde van de grote gang stond en de bel luidde.

De bel was een enorm, koperen ding met een dik, houten handvat en meneer Pople zwaaide die altijd heen en weer op een heel speciale eigen manier, zodat het klonk als *rinkele-kink-kink, rinkele-kink-kink, rinkele-kink-kink*. Op het geluid van de bel gingen alle jongens op onze school, honderdentachtig bij elkaar, keurig in de gang in het gelid staan. Zo stonden we dan aan beide kanten in rijen tegen de muur, stram in de houding, te wachten op de inspectie van het hoofd.

Maar het duurde altijd minstens tien minuten voor het hoofd verscheen, en in die tussentijd voerde meneer Pople een ceremonie uit die zo buitengewoon eigenaardig was dat ik ook nu nog bijna niet kan geloven dat dat echt gebeurde. Er waren zes wc.'s in de school, genummerd van een tot zes. Aan het einde van de lange gang stond meneer Pople met zes kleine koperen schijfjes, ieder met een nummer erop, van een tot zes. Er heerste een doodse stilte, terwijl hij langzaam zijn ogen langs beide rijen stokstijf staande jongens liet dwalen. Dan blafte hij een naam: 'Arkle!'

Arkle deed een stap naar voren en stapte kordaat de gang af naar meneer Pople; die overhandigde hem een koperen schijfje. Dan marcheerde Arkle naar de wc.'s. Daarvoor moest hij de hele lengte van de gang aflopen, langs al die onbeweeglijke jongens en dan linksaf. Zodra hij uit het gezicht verdwenen was, mocht hij naar de schijf kijken om te zien welk wc.-nummer hij gekregen had.

'Highton!' blafte meneer Pople en nu kwam Highton naar voren om zijn schijf te halen en weg te marcheren.

'Angel...!'

'Williamson...!'

'Gaunt...!'

'Price...!'

De zes jongens die op deze willekeurige wijze door meneer Pople waren uitgekozen, werden zo naar de wc. gestuurd om hun behoefte te doen. Geen mens vroeg ze of ze wel of niet moesten om half acht 's morgens voor het ontbijt. Het werd ze gewoon opgedragen. Maar wij beschouwden het als een groot voorrecht gekozen te worden, want dat betekende dat wij tijdens de inspectie van het hoofd veilig buiten bereik, in zalige afzondering zouden zitten.

Na enige tijd kwam dan het hoofd uit zijn privé-vertrekken opdagen en nam het van meneer Pople over. Langzaam wandelde hij langs de ene kant van de gang en inspecteerde iedere jongen uiterst nauwkeurig, onderwijl zijn horloge om zijn pols vastmakend.

Die ochtendinspectie was een zenuwslopende zaak. We waren allemaal als de dood voor die twee scherpe bruine ogen onder die zware wenkbrauwen, die zo langzaam op en neer langs je lichaam gleden.

'Ga weg en ga behoorlijk je haar kammen. En laat het niet meer gebeuren, anders zwaait er wat.

Laat je handen eens zien. Er zit inkt op. Waarom heb je dat er gisteravond niet afgewassen?

Je das zit scheef, jongen. Kom naar voren en doe 'm opnieuw. En deze keer goed.

Er zit modder op die schoen. Heb ik je daar vorige week al niet eens op gewezen? Ik verwacht je na het ontbijt in mijn studeerkamer.'
En zo ging het maar door die hele afgrijselijke ochtendinspectie. En wanneer het afgelopen was, het hoofd weg was en meneer Pople ons klas na klas naar de eetzaal dirigeerde, waren er heel wat jongens die geen trek meer hadden in de klonterige pap die ons wachtte.
Ik heb nog steeds al mijn rapporten uit die dagen, nu meer dan vijftig jaar geleden, en ik heb ze stuk voor stuk doorgekeken om te zien of ik ergens iets zou kunnen vinden dat wees op een toekomstig schrijverschap. Waar je natuurlijk speciaal naar moest kijken waren taal en opstellen. Maar al mijn rapporten zeiden weinig over dat onderwerp, op één na. Het rapport wat mij opviel, was het kerstrapport van 1928. Ik was toen twaalf en mijn leraar was meneer Victor Corrado. Ik herinner me hem heel duidelijk: een lange knappe atleet met golvend haar en een Griekse neus (die er later op een nacht met de huishoudster vandoor is gegaan en die we nooit meer terug gezien hebben). In ieder geval was het zo dat meneer Corrado ons behalve les in opstellen schrijven ook boksles gaf, en in dit speciale rapport stond bij taal: 'Zie de opmerkingen onder boksen. Precies hetzelfde is van toepassing.' Dus kijken we bij boksen en daar staat: 'Te langzaam en te stijf. Zijn stoten zie je al lang van tevoren aankomen en zijn dus altijd te laat.'
Maar een keer per week op die school, elke zaterdagochtend, elke prachtige, zalige zaterdagochtend, verdwenen al die huiveringwekkende engigheden en voelde ik iets dat heel dicht bij extase kwam. Ongelukkigerwijs gebeurde dat pas als je tien jaar oud was. Maar dat doet niet terzake. Laat ik proberen te vertellen wat het precies was.
Elke zaterdagochtend om half elf precies ging meneer Pople's gehate bel van rinkele-kink-kink. Dit was het sein voor de volgende gebeurtenissen. Eerst gingen alle jongens tot en met negen jaar (zo'n zeventig bij elkaar) dadelijk naar een grote geasfalteerde speelplaats achter het hoofdgebouw. Daar op die speelplaats stond dan wijdbeens, met de armen gekruist over haar geweldige boezem,

juffrouw Davis. Als het regende moesten de jongetjes hun regenjassen aanhebben. Als het sneeuwde of stormde winterjassen en dassen. En schoolpetten – grijs met een rood insigne voorop – moesten natuurlijk altijd gedragen worden. Maar geen enkel ingrijpen van hogerhand, geen tornado, orkaan of vulkanische uitbarsting werd toegestaan een beletsel te vormen voor deze afgrijselijke twee-uurlange zaterdagochtendwandelingen, die de zeven–, acht – en negenjarige jongetjes moesten ondergaan op de winderige vlaktes van Weston-super-Mare, op zaterdagochtend. Ze liepen dan twee aan twee in een lange slang, met mejuffrouw Davis ernaast in een tweed rok en wollen kousen en met een vilthoed waar ratten aan geknaagd moeten hebben.

De tweede gebeurtenis wanneer meneer Poples bel ging op zaterdagochtend, was dat de rest van de jongens, van tien en ouder (zo'n honderd bij elkaar) onmiddellijk samen kwamen in de grote aula en gingen zitten. Een van de jongere meesters, die S.K. Jopp heette, stak zijn hoofd om de deur en schreeuwde ons dan toe met zoveel furie, dat druppels spuug als kogels uit zijn mond vlogen en aan de andere kant tegen de ramen kletsten. 'Nou dan!' schreeuwde hij. 'Mond dicht! Stil zitten! Voor je kijken! Handen op tafel!' En weg was hij weer.

We bleven stil zitten wachten. We wachtten op de heerlijke tijd die nu gauw zou komen, zoals we wisten. Buiten op de oprijlaan hoorden we hoe de auto's gestart werden. Allemaal even antiek. Allemaal moesten ze met de hand aangeslingerd worden. (Vergeet niet dat het omstreeks 1927/1928 was.) Dit was een zaterdagochtendritueel. Er waren vijf auto's in totaal, en daarin propte zich de hele staf van veertien meesters, waaronder niet alleen het Hoofd zelf, maar ook meneer Pople met zijn rode kop. Dan raasden ze weg in een wolk blauwe rook en kwamen tot stilstand voor een café dat als ik me goed herinner 'De bakkebaarden van de graaf' heette. Daar bleven ze dan tot vlak voor de lunch en dronken liters sterk bruin bier. En tweeëneenhalf uur later, om één uur, zagen we ze weer terugkomen en heel omzichtig, zo nu en dan steun zoekend de eetzaal binnenlopen.

Tot zo ver wat de meesters betreft. En wij dan, die grote massa, tien-, elf- en twaalfjarigen, die daar in de zaal achterbleven in een school die plotseling zonder één enkele volwassene was? Wij wisten natuurlijk precies wat er zou gaan gebeuren. Binnen een minuut na het vertrek van de meesters zouden we de voordeur horen opengaan en voetstappen horen, en dan zou met fladderende kleren, rinkelende armbanden en wilde haren een vrouw binnenstormen onder het roepen van: 'Hallo allemaal! Kijk es wat vrolijker, dit is geen begrafenis!' Of zoiets. En *dat* was nou mevrouw O'Connor. Gezegende, mooie mevrouw O'Connor met haar flodderige kleren en haar grijze haar dat alle kanten op piekte. Ze was zo'n vijftig jaar oud en had een paardegezicht en lange gele tanden. Maar in onze ogen was ze mooi. Ze hoorde niet tot de staf. Ze kwam ergens uit het stadje en was gehuurd voor de zaterdagochtend, als een soort babysitter, om ons tweeëneenhalf uur zoet te houden terwijl de meesters zich bedronken in het café.
Maar mevrouw O'Connor was geen babysitter. Ze was niet minder dan een geweldig en begenadigd lerares, een geleerde en een echte liefhebber van Engelse literatuur. We hadden haar allemaal drie jaar lang (van ons tiende jaar tot we van school gingen) elke zaterdagmorgen en in die tijd werkten we de hele geschiedenis van de Engelse literatuur door, vanaf het jaar 597 tot het begin van de negentiende eeuw.
Nieuwelingen kregen een dun, blauw boekje, dat ze mochten houden, dat gewoon *Chronologische tabel* heette en maar zes bladzijden lang was. Die zes bladzijden bevatten een heel lange lijst van alle grote en minder grote mijlpalen, in chronologische volgorde, in de Engelse literatuur, met de jaartallen ernaast.
Precies honderd werden daar door mevrouw O'Connor uitgekozen en die streepten we aan in onze boekjes en leerden we uit ons hoofd. Hier zijn er een paar, die ik me nog herinner:

597 St. Augustinus landt bij Thanet en brengt het Christendom in Engeland
731 *Ecclesiastical History* van Bede

1215 De ondertekening van de Magna Charta.
1399 *Vision of Piers Plowman* van Langland
1476 Caxton stelt de eerste drukpers in gebruik in Westminster
1478 *Canterbury Tales* van Chaucer
1485 *Morte d'Arthur* van Malory
1590 *Faërie Queene* van Spencer
1623 Het eerste geschrift van Shakespeare
1667 *Paradise Lost* van Milton
1668 *Essays* van Dryden
1678 *Pilgrim's Progress* van Bunyan
1711 *Spectator* van Addison
1719 *Robinson Crusoë* van Defoe
1726 *Gulliver's Travels* van Swift
1733 *Essay on Man* van Pope
1755 *Dictionary* van Johnson
1791 *Life of Johnson* van Boswell
1833 *Sartor Resartus* van Carlyle
1859 *Origin of Species* van Darwin

Mevrouw O'Connor nam dan elk onderwerp op zijn beurt en praatte daar een hele zaterdagochtend over. Tweeëneenhalf uur achter elkaar.
Op die manier had ze na drie jaar, met zo'n zesendertig zaterdagen per schooljaar, alle honderd onderwerpen behandeld. En wat een wonderbaarlijke en opwindende uren waren het! Ze bezat die ene gave van de echte goede leraar om alles waar ze het over had, daar in die zaal tot leven te brengen. In tweeëneenhalf uur leerden we houden van Langland en zijn Piers Plowman. De volgende zaterdag was het Chaucer en van hem hielden we ook. Zelfs zulke moeilijke kerels als Milton, Dryden en Pope werden fascinerend wanneer mevrouw O'Connor over hun leven vertelde en gedeelten uit hun werk voorlas. En het gevolg was, bij mij tenminste, dat ik op dertienjarige leeftijd diep doordrongen was van het omvangrijke erfgoed van literatuur dat door de eeuwen heen in Engeland was opgebouwd. Bovendien werd ik een verwoed en onverzadigbaar lezer

van goede boeken.
Lieve aanbiddelijke mevrouw O'Connor! Misschien was het het toch waard naar die afschuwelijke kostschool te gaan, alleen maar om de verrukking van haar zaterdagochtenden te mogen beleven.
Toen ik dertien was ging ik van die school af en werd ik naar een van onze beroemde Engelse *public schools* gestuurd, opnieuw intern. Die scholen zijn natuurlijk helemaal niet *public,* openbaar. Ze zijn ontzettend particulier en duur. De mijne heette Repton, in Derbyshire, en het hoofd van die school was in die tijd de eerwaarde Geoffrey Fisher, die later bisschop van Chester werd en daarna aartsbisschop van Canterbury. In deze laatste baan kroonde hij Koningin Elizabeth II in de Westminster Abbey.
In de kleren die we op deze school moesten dragen, leken we op leerling-doodgravers. Het jasje was zwart, met revers en lange panden van achteren, die tot over de knieholten hingen. De broek was zwart met dunne grijze strepen. De schoenen waren zwart. En het zwarte vest had elf knopen, die je elke ochtend moest dichtmaken. De das was zwart. Dan waren er nog een stijfgesteven witte vlinderdas en een wit overhemd.
Het toppunt, alsof het allemaal nog niet potsierlijk genoeg was, was wel de strohoed, die je altijd buiten op moest hebben, behalve bij sport. En omdat die hoeden soppig werden als het regende, droegen we paraplu's.
Je kunt je voorstellen hoe ik me voelde, toen mijn moeder mij in die dwaze kleren in Londen op de trein zette aan het begin van mijn eerste kwartaal. Ze gaf me een zoen en daar ging ik.
Ik hoopte natuurlijk dat mijn zo gemartelde achterwerk op mijn nieuwe en wat meer volwassen school eindelijk met rust gelaten zou worden, maar het mocht niet zo zijn. Het geransel op Repton was nog furieuzer en nog veelvuldiger dan alles wat ik tot dan had meegemaakt. En denk maar niet dat de toekomstige aartsbisschop van Canterbury bezwaar maakte tegen deze smerige praktijken. Hij stroopte zijn mouwen op en deed enthousiast mee. Zijn aframmelingen waren verreweg de ergste, de echt angstwekkendste gebeurtenissen. Sommige ranselpartijen die deze heilige man, dit

toekomstige hoofd van de kerk van Engeland uitvoerde, waren bij het beestachtige af. Ik weet van een geval, waarbij hij na afloop een bak water, een spons en een handdoek moest halen, zodat zijn slachtoffer het bloed kon afwassen. Niet zo leuk. Het deed aan de Spaanse inquisitie denken.

Maar het akeligste van alles was, denk ik, het feit dat oudere jongens, de prefecten, het recht hadden hun medeleerlingen te slaan. Dit gebeurde dagelijks. De grote jongens (van 17 of 18) ranselden dan de kleinere jongens (van 13, 14, of 15) af in een sadistisch ritueel dat 's nachts plaatsvond, nadat je naar de slaapzaal gegaan was en je pyjama had aangetrokken.

'Je moet in de kleedkamer komen.'

Met stuntelige vingers deed je dan je kamerjas aan en je sloffen. Dan strompelde je naar beneden, de grote kamer met de houten vloer in, waar de sportkleren aan de muren hingen. Een enkele kale peer hing aan het plafond. Een prefect, pompeus maar heel gevaarlijk, wachtte je op in het midden van de kamer. In zijn handen hield hij een lang rietje, dat hij doorgaans op en neer zwiepte als je binnenkwam.

'Ik denk dat je wel weet waarom je hier bent,' zei hij dan.

'Nou, ik...'

'Je hebt nu al twee dagen achter elkaar mijn toost laten verbranden!'

Laat ik deze absurde opmerking even uitleggen. Je was de *fag* van deze prefect. Dat betekende dat je zijn bediende was en een van je talloze plichten was om elke dag op theetijd brood voor hem te roosteren. Daartoe gebruikte je een lange roostervork met drie tanden, waar je het brood op stak en waarmee je het voor een haardvuur hield, eerst de ene kant en dan de andere. Maar het enige vuur dat daarvoor gebruikt mocht worden, was in de bibliotheek en tegen theetijd waren er nooit minder dan een dozijn arme jongens, die worstelden om een plaatsje bij het kleine vuurtje te bemachtigen. Ik was daar niet zo goed in. Meestal hield ik de boterham te dichtbij, zodat die verbrandde. Maar omdat we niet om een tweede boterham mochten vragen, voor een tweede poging, was het enige wat er opzat te proberen het zwart eraf te schrapen met een

mes. Dat bleef zelden onopgemerkt. De prefecten waren experts in het opsporen van schraapplekken. Je zag jouw kwelgeest daar aan de voorste tafel zitten, zijn toost opnemen, omdraaien en zorgvuldig bestuderen, alsof het een kostbaar schilderijtje was. Dan fronste hij zijn wenkbrauwen en wist je dat je er gloeiend bij was.
Nu was het dus avond en daar stond je in de kleedkamer in je kamerjas en je pyjama, en de jongen wiens toost je had laten verbranden, onderhield je over je misdaad.
'Ik houd niet van verbrande toost.'
'Ik hield het te dicht bij het vuur. Het spijt me.'
'Je mag kiezen, vier met kamerjas of drie zonder.'
'Vier met kamerjas,' zei ik.
Dit was een traditionele vraag. Het slachtoffer mocht altijd kiezen. Maar mijn eigen kamerjas was een dikke, bruine kameelharen jas en ik twijfelde er geen moment aan dat dit de beste keus was. Met alleen een pyjama aan geslagen te worden was geweldig pijnlijk en je huid ging bijna altijd kapot. Maar mijn kamerjas verhinderde dat. De prefect wist dat natuurlijk heel goed en daarom sloeg hij je, wanneer je voor de extra slag en de kamerjas had gekozen, ook zo hard als hij maar kon. Soms nam hij een aanloopje, dan drie à vier stapjes op zijn tenen, om er meer vaart en kracht achter te zetten; maar hoe dan ook, het was altijd een gruwelijke zaak.
Vroeger was het zo dat er, wanneer een man op het punt stond opgehangen te worden, een doodse stilte viel over de hele gevangenis en de andere gevangenen roerloos in hun cellen zaten tot het voorbij was. Iets dergelijks gebeurde op school wanneer iemand een pak slaag kreeg. Boven op de slaapzalen zaten de jongens stil op hun bedden uit medeleven met het slachtoffer, en in die stilte klonk vanuit de kleedkamer beneden de *krak* van elke slag die werd toegediend.
Mijn rapporten van deze school zijn wel interessant. Hier zijn er vier, woordelijk overgenomen van de originele papieren:

Zomer 1930 (14 jaar oud). Opstellen: Ik heb nog nooit een jongen meegemaakt die zo hardnekkig precies het tegenovergestelde

schrijft van wat hij bedoelt. Hij lijkt niet in staat te zijn op papier zijn gedachten te ordenen.
Pasen 1931 (15 jaar oud). Opstellen: Een hardnekkig warhoofd, zeer beperkte woordenschat, slecht lopende zinnen. Hij doet me aan een kameel denken.
Zomer 1932 (16 jaar). Opstellen: Deze jongen is een lui en ongeletterd lid van de klas.
Herfst 1932 (17 jaar). Opstellen: Consequent lui. Beperkte fantasie. (En onder dit rapport had de toekomstige aartsbisschop van Canterbury met rode inkt geschreven: Hij dient de gebreken in dit rapport te corrigeren.)

Het zal niemand verbazen, dat het in die dagen niet in mijn hoofd opkwam schrijver te worden.
Toen ik in 1934 op achttienjarige leeftijd van school kwam, wees ik mijn moeders aanbod (mijn vader stierf toen ik drie was) om naar de universiteit te gaan van de hand. Als je geen dokter, advocaat, natuurkundige, ingenieur of zoiets wilde worden, zag ik het nut niet in van drie of vier jaar in Oxford of Cambridge te verspillen, en zo denk ik er nog steeds over. In plaats daarvan koesterde ik de hartewens om erop uit te trekken, te reizen en verre landen te zien. Er waren vrijwel geen commerciële vliegtuigen in die dagen en een reis naar Afrika of het Verre-Oosten kostte verscheidene weken.
Dus trad ik in dienst bij wat de oosterse staf van de Shell Oliemaatschappij genoemd werd. En daar beloofden ze me, dat ik na een opleiding van twee à drie jaar naar het buitenland zou worden uitgezonden.
'Waarheen?' vroeg ik.
'Geen idee,' antwoordde de man. 'Dat hangt er vanaf waar toevallig een plaats vrij komt wanneer je boven aan de lijst staat. Het kan Egypte of China of India, of bijna elke plaats ter wereld zijn.'
Dat klonk goed. En dat was het ook. Toen ik drie jaar later aan de beurt kwam om uitgezonden te worden, werd mij meegedeeld dat het Oost-Afrika zou worden. Tropenpakken werden besteld

en mijn moeder hielp me mijn koffer pakken.
Ik zou drie jaar in Afrika blijven en dan zou ik voor zes maanden met verlof terugkomen. Ik was nu eenentwintig en op weg naar verre landen. Ik voelde me geweldig. Ik scheepte me in in de haven van Londen en we voeren af.
Die reis duurde tweeëneenhalve week. We gingen door de Golf van Biskaje en deden Gibraltar aan. Via Malta, Napels en Port Said doorkruisten we de Middellandse Zee. We voeren door het Suezkanaal en over de Rode Zee, waar we eerst Port Soedan en daarna Aden binnenliepen. Het was enorm opwindend. Voor het eerst zag ik grote zandwoestijnen en Arabische soldaten op kamelen, en palmen waar dadels aan groeiden, en vliegende vissen en duizenden andere wonderlijke dingen. Ten slotte kwamen we bij Mombasa, in Kenia.
In Mombasa kwam iemand van de Shell aan boord en vertelde me dat ik over moest stappen op een klein kustvaartuig naar Dar-es-Salaam, de hoofdstad van Tanganjika (nu Tanzania). En zo ging ik naar Dar-es-Salaam, via Zanzibar.
De twee volgende jaren werkte ik voor de Shell in Tanzania, met mijn hoofdkwartier in Dar-es-Salaam. Het was een fantastisch leven. De hitte was verschrikkelijk, maar dat deed er niet toe. We droegen kaki shorts, een open overhemd en een helm op ons hoofd. Ik leerde Swahili spreken. Ik reed het binnenland in en bezocht diamantmijnen, sisalplantages, goudmijnen en alles wat er verder nog was.
Er waren overal giraffen, olifanten, zebra's, leeuwen en antilopen, en slangen ook, waaronder de Zwarte Mamba, de enige slang ter wereld die je achterna zit als hij je ziet. En als hij je inhaalt en bijt, dan ben je er geweest. Ik leerde mijn muggenlaarzen uitschudden voor ik ze aandeed, voor het geval er een schorpioen in zat, en ik kreeg malaria, net als iedereen, en lag drie dagen lang voor pampus met hoge koortsen. In september 1939 werd het duidelijk dat er een oorlog op uitbreken stond met Hitler-Duitsland. Tanganjika, dat nog maar twintig jaar daarvoor Duits Oost-Afrika heette, zat nog vol Duitsers. Ze zaten overal. Ze bezaten winkels, mijnen en

plantages over het hele land. Zodra de oorlog uitbrak zouden ze opgepakt moeten worden. Maar we hadden in Tanganjika nauwelijks iets wat op een leger leek, alleen maar een paar inheemse soldaten, die Ashari's genoemd werden, en een handjevol officieren. Dus werden wij burgers allemaal tot bijzondere reservisten gebombardeerd. Ik kreeg een band om mijn arm en twintig Ashari's onder mijn bevel. Mijn troepje mannen en ik kregen de opdracht de weg die in het zuiden van Tanganjika naar neutraal Portugees Oost-Afrika leidde, te blokkeren. Dat was een belangrijk karwei, want het zou die weg zijn waarlangs de meeste Duitsers zouden proberen te ontsnappen, wanneer de oorlog uitbrak.
Ik ging met mijn vrolijke troepje met geweren en een machinegeweer naar een plaats waar de weg door ondoordringbaar oerwoud liep, zo'n vijftien kilometer buiten de stad, en zette een wegversperring op. We hadden een veldtelefoon, die verbonden was met het hoofdkwartier, zodat we het meteen zouden horen als de oorlog verklaard werd. We maakten het ons gemakkelijk en wachtten. Drie dagen lang wachtten we. En 's nachts klonk van alle kanten uit het oerwoud het geroffel van trommels van de inboorlingen, die eigenaardige, hypnotische ritmes voortbrachten. Op een keer liep ik in het donker het oerwoud in en stootte op zo'n vijftig inboorlingen, die in een cirkel rond een vuur hurkten. Maar één man was aan het trommelen. Enkelen dansten rond het vuur. De rest dronk iets uit kokosnootbasten. Ze namen me in hun cirkel op. Het waren prachtmensen. Ik kon met ze praten in hun eigen taal. Ze gaven me een schil gevuld met een dikke grijzige, bedwelmende vloeistof, gemaakt van gegiste maïs. Het heette pomba, als ik het me goed herinner. Ik dronk het op. Het smaakte afschuwelijk.
De volgende middag ging de veldtelefoon en zei een stem: 'We zijn in oorlog met Duitsland.' Binnen enkele minuten zag ik in de verte een rij auto's in wolken stof onze richting uitkomen, op de vlucht naar het neutrale gebied van Portugees Oost-Afrika, zo snel als ze konden.
Ho, ho, dacht ik, dat is vechten geblazen. En ik riep naar mijn Ashari's, dat ze zich klaar moesten maken. Maar er werd niet ge-

vochten. De Duitsers, die per slot van rekening doodgewone burgers uit de stad waren, zagen ons machinegeweer en onze geweren en gaven zich meteen over. Binnen een uur hadden we er een paar honderd in handen. Ik had wel een beetje medelijden met ze. Veel kende ik persoonlijk, zoals Willy Hink de horlogemaker en Herman Schneider, de eigenaar van de spuitwaterfabriek.
Hun enige misdaad bestond uit hun Duits zijn. Maar ja, het was oorlog, en in de koelte van de avond marcheerden we ze allemaal terug naar Dar-es-Salaam, waar ze in een enorm kamp achter prikkeldraad werden opgesloten.
De volgende dag stapte ik in mijn oude auto en reed noordwaarts naar Nairobi, in Kenia, om me aan te melden bij de RAF. Het was een zware tocht en ik deed er vier dagen over. Hobbelige weggetjes door het oerwoud; brede rivieren, waarbij de auto op een vlot gezet moest worden en door een veerman naar de overkant getrokken met een touw; lange groene slangen, die voor de auto over de weg gleden. (N B. nooit over een slang heenrijden, want die kan de lucht ingeworpen worden en in je auto terecht komen. Dat is al vaak gebeurd.) Ik sliep 's nachts in de auto. Ik kwam langs de voet van een schitterende berg, de Kilima-ndjaro, met een witte sneeuwhoed op. Ik reed door het Masai-gebied, waar de mannen koeiebloed dronken en allemaal meer dan twee meter lang schenen te zijn. Ik kwam bijna in botsing met een giraf op de Serengeti-vlakte. Maar uiteindelijk kwam ik toch ongedeerd in Nairobi aan en meldde mij bij het RAF-hoofdkwartier op het vliegveld. Zes maanden lang werden we getraind in kleine vliegtuigjes, die Tiger Moths heetten, en ook dat waren fantastische dagen. In onze kleine Tiger Moths zwierven we rond boven heel Kenia. We zagen geweldige kuddes olifanten. We zagen de roze flamingo's op het Rudolf-meer. We zagen alles wat er in dat schitterende land te zien is. En vaak moesten we voor het opstijgen de zebra's van het vliegveld jagen.
Daar in Nairobi werden we met z'n twintigen opgeleid tot piloot. Van deze twintig zijn er zeventien in de oorlog omgekomen.
Van Nairobi stuurden ze ons naar Irak, naar een eenzame troosteloze luchtmachtbasis in de buurt van Bagdad, om onze opleiding te vol-

tooien. De plaats heette Habbaniji, en 's middags was het er zo heet (wel vierenvijftig graden in de schaduw) dat we onze hutten niet uit mochten. We lagen alleen maar stil op onze bedden en zweetten. De pechvogels raakten bevangen door de hitte, werden afgevoerd naar het ziekenhuis en moesten daar verscheidene dagen blijven liggen ingepakt in ijs. Dat was óf hun redding óf hun genadeslag. Ze hadden vijftig procent kans.
In Habbaniji leerden ze ons krachtiger vliegtuigen vliegen, met geweren. We oefenden het schieten op sleepdoelen, die andere vliegtuigen achter zich aan sleepten, en op voorwerpen op de grond.
Tenslotte was onze opleiding voltooid en werden we naar Egypte gezonden om tegen de Italianen in de woestijn in Libië te vechten.
Ik kwam bij het 80ste squadron, dat met jagers vloog, en in het begin hadden we alleen maar oude eenpersoons dubbeldekkers, Gloster Gladiators. De twee machinegeweren waren bij een Gladiator aan weerszijden van de motor aangebracht en de kogels gingen, of je het gelooft of niet, *door* de propeller heen. Op de een of andere manier waren de geweren zo gesynchroniseerd met de as van de propeller, dat de kogels in theorie de draaiende proppellerbladen misten. Maar zoals je al zult vermoeden, haperde er nog al eens wat aan dit ingewikkelde mechanisme en dan schoot de arme piloot in plaats van de vijand zijn eigen propeller aan stukken.
Ik zelf werd neergehaald in een Gladiator, die ver in de Libische woestijn tussen de vijandelijke linies neerstortte. Het vliegtuig vloog in brand, maar ik slaagde er in eruit te komen en werd ten slotte gered en in veiligheid gebracht door onze eigen soldaten, die in het donker over het zand naar mij toekropen.
Daardoor kwam ik in het ziekenhuis in Alexandrië terecht voor zes maanden, met een schedelbasisfractuur en een heleboel brandwonden. Toen ik er in april 1941 uitkwam was mijn eigen squadron naar Griekenland overgeplaatst, om tegen de Duitsers te vechten die vanuit het noorden binnenvielen. Ik kreeg een Hurricane en de opdracht daarmee van Egypte naar Griekenland te vliegen om mij bij mijn squadron te voegen. Nu was een Hurricanejager iets heel anders dan die oude Gladiator. Hij had acht machinegeweren,

vier in iedere vleugel en ze vuurden allemaal tegelijk, wanneer je op het kleine knopje aan je stuurknuppel drukte. Het was een magnifiek vliegtuig, alleen had het een vliegbereik van niet meer dan twee uur vliegen. De reis naar Griekenland, non-stop, zou zeker vijf uur duren, steeds boven water. Ze bevestigden extra brandstoftanks op de vleugels. Ze zeiden dat ik het wel zou halen. En dat deed ik uiteindelijk ook. Maar het was op het nippertje. Wanneer je bijna twee meter lang bent, zoals ik, is het geen lolletje om vijf uur lang in zo'n kleine cockpit opgevouwen te zitten.
In Griekenland had de RAF achttien Hurricanes in totaal. De Duitsers hadden minstens duizend vliegtuigen. We hadden het moeilijk. We werden van ons vliegveld buiten Athene (Eleusis) verdreven en vlogen een poosje vanaf een kleine geheime landingsbaan, verder naar het westen (Menidi). Al snel werd deze door de Duitsers ontdekt en vernietigd. Dus vlogen we met de paar toestellen die we nog over hadden naar het zuiden van Griekenland, waar we onze Hurricanes onder olijfbomen verborgen wanneer we niet in de lucht waren.
Maar lang kon dit niet duren. Al gauw hadden we nog maar vijf Hurricanes over en waren niet veel piloten meer in leven. Die vijf toestellen werden naar het eiland Kreta overgevlogen. De Duitsers veroverden Kreta. Enkelen van ons wisten te ontsnappen. Ik was een van de gelukkigen. Uiteindelijk zat ik weer in Egypte. Het squadron werd opnieuw geformeerd en uitgerust met Hurricanes. We werden naar Haifa gestuurd, in wat toen Palestina was (nu Israel), waar we weer tegen de Duitsers en de Vichy-Fransen vochten in Libanon en Syrië.
Daar begon ik last te krijgen van mijn oude hoofdletsel. Hevige hoofdpijnen dwongen me op te houden met vliegen. Ik werd teruggezonden naar Engeland en voer op een troepentransportschip van Suez naar Durban, naar Kaapstad, naar Lagos, naar Liverpool, opgejaagd door Duitse onderzeeboten in de Atlantische Oceaan en de hele laatste week van de reis dagelijks bestookt door Focke-Wulfjagers.
Ik was vier jaar lang weggeweest. Mijn moeder, wier huis in Kent

tijdens de slag om Engeland gebombardeerd was en die nu in een klein huisje met een rieten dak in Buckinghamshire woonde, was dolblij me te zien. Mijn vier zusters en mijn broer ook. Ik kreeg een maand verlof. Toen kreeg ik plotseling de mededeling dat ik naar Washington DC in de Verenigde Staten zou worden uitgezonden, als assistent-luchtmacht-attaché. Dat was in januari 1942 en een maand tevoren hadden de Japanners de Amerikaanse vloot in Pearl Harbor gebombardeerd. Dus nu was ook Amerika in oorlog.

Ik was zesentwintig jaar toen ik in Washington aankwam en nog steeds dacht ik geen moment aan schrijven.

Op de ochtend van de derde dag zat ik me in mijn nieuwe kantoor op de Engelse ambassade af te vragen wat ik daar in vredesnaam verondersteld werd te doen, toen er op mijn deur geklopt werd.

'Binnen.'

Een heel klein mannetje met een stalen brilletje met dikke glazen schuifelde verlegen de kamer in. 'Neemt u me niet kwalijk, dat ik u stoor,' zei hij.

'U stoort helemaal niet,' antwoordde ik. 'Ik doe niets.'

Hij stond voor me en keek alsof hij zich niet bepaald op zijn gemak voelde. Ik dacht dat hij misschien een baan kwam vragen.

'Mijn naam,' zei hij, 'is Forester. C.S. Forester.'

Ik viel bijna van mijn stoel. 'U maakt een grapje!' zei ik.

'Nee hoor,' zei hij glimlachend, 'ik ben 't heus.' En hij was het. Het was de grote schrijver in eigen persoon, de geestelijke vader van kapitein Hornblower en de beste verteller van zeeverhalen sinds Joseph Conrad. Ik vroeg hem te gaan zitten.

'Kijk,' zei hij, 'ik ben te oud voor de oorlog. Ik woon nu hier. Het enige wat ik kan doen om te helpen, is stukken schrijven over Engeland voor de Amerikaanse kranten en weekbladen. We hebben de hulp van Amerika hard nodig. Een blad, dat de *Saturday Evening Post* heet, drukt alles wat ik schrijf. Ik heb een contract met ze. En ik ben hierheen gekomen, omdat ik denk dat u een goed verhaal te vertellen hebt. Over vliegen, bedoel ik.'

'Niet beter dan duizend anderen,' zei ik. 'Er zijn massa's piloten die heel wat meer vliegtuigen neergeschoten hebben dan ik.'

'Daar gaat het niet om,' zei Forester. 'U bent nu in Amerika en omdat u echt aan de oorlog hebt deelgenomen, bent u een zeldzaam verschijnsel aan deze kant van de Atlantische Oceaan. Vergeet niet, dat ze hier nog maar net bij de oorlog betrokken zijn.'
'Wat wilt u dat ik doe?' vroeg ik.
'Lunch met mij,' zei hij, 'en onder het eten kunt u mij er alles van vertellen. Vertel me uw opwindendste avontuur, dan maak ik er een verhaal van voor de *Saturday Evening Post.* Alle kleine beetjes helpen.'
Ik was opgetogen. Ik had nooit eerder een beroemd schrijver ontmoet. Ik bekeek hem eens goed, zoals hij daar in mijn kantoor zat. Wat me verbaasde was dat hij er zo gewoon uit zag. Er was helemaal niets bijzonders aan hem. Zijn gezicht, zijn manier van praten, zijn ogen achter de bril, zelfs zijn kleren waren doodgewoon. En toch was dit een schrijver die beroemd was over de hele wereld. Zijn boeken werden door miljoenen mensen gelezen. Je zou verwachten dat de vonken van zijn hoofd af sprongen, of op z'n allerminst had hij een lange groene mantel moeten dragen en een slappe hoed met een brede rand.
Maar niets van dat alles. En het was op dat moment dat ik me voor het eerst begon te realiseren dat er twee verschillende kanten aan een schrijver zitten. Ten eerste de kant die hij het publiek toont, die van een doodgewoon iemand net als iedereen, iemand die gewone dingen doet en gewone taal spreekt. Ten tweede is er de geheime kant, die pas naar voren komt wanneer hij de deur van zijn werkkamer achter zich heeft dichtgedaan en volkomen alleen is. Op dat ogenblik glipt hij een andere wereld binnen, een wereld waarin zijn fantasie de overhand krijgt en hij ook inderdaad *leeft* op de plaatsen die hij beschrijft. Ik zelf, als dat je mocht interesseren, raak in een soort trance en alles om mij heen verdwijnt. Ik zie nog alleen de punt van de pen over het papier gaan en vaak genoeg gaan twee uren voorbij alsof het een paar seconden zijn.
'Kom mee,' zei C.S. Forester tegen me. 'Laten we gaan lunchen. U schijnt toch niets anders te doen te hebben.'
Toen ik aan de zijde van de grote man de ambassade uitliep, was

ik buiten mezelf van opwinding. Ik had alle boeken over kapitein Hornblower gelezen en ook alles van de andere geweldige schrijver over de zee: Kapitein Marryat. En nu stond ik hier op het punt te gaan lunchen met iemand die in mijn ogen ook een geweldenaar was. Hij nam me mee naar een klein, duur Frans restaurantje in de buurt van het Mayflower-hotel in Washington. Hij bestelde een uitgebreide lunch. Daarna pakte hij een notitieboekje en een potlood (in 1942 was de ballpoint nog niet uitgevonden) en legde deze op het tafellaken. 'Nou dan,' zei hij, 'vertel me het opwindendste, of het griezeligste, of het gevaarlijkste dat u hebt meegemaakt toen u oorlogsvlieger was.'
Ik probeerde op gang te komen.
Ik begon hem te vertellen over de keer dat ik neergeschoten werd in de woestijn en mijn toestel in brand vloog.
De dienster bracht twee borden met gerookte zalm. Terwijl we die probeerden op te eten, probeerde ik te praten en probeerde Forester aantekeningen te maken.
De hoofdschotel was gebraden eend met groenten en aardappelen en dikke, machtige jus. Dit was een gerecht waar je zowel je volle aandacht als je beide handen bij nodig had. Mijn verhaal begon te haperen. Forester bleef maar zijn potlood neerleggen om zijn vork te pakken en omgekeerd. Het liep niet zo best. En afgezien daarvan, ben ik ook nooit erg goed geweest in verhalen vertellen.
'Hoor es,' zei ik, 'als u wilt, zal ik proberen alles op papier te zetten en het u toesturen. Dan kunt u het op uw gemak herschrijven. Zou dat niet makkelijker zijn? Ik kan het vanavond wel doen.'
Dat was, al had ik daar toen geen idee van, het ogenblik waarop mijn hele leven veranderde.
'Een uitstekend idee,' zei Forester. 'Dan kan ik dit stomme boekje tenminste opbergen en kunnen we rustig van ons eten genieten. Zou u het echt niet erg vinden dat voor me te doen?'
'Absoluut niet,' zei ik, 'maar verwacht er niks van. Ik zet alleen de feiten achter elkaar.'
'Dat geeft niet,' zei hij. 'Als ik de feiten maar heb, kan ik er een verhaal van maken. Maar alleen,' voegde hij er aan toe, 'wel graag

zoveel mogelijk details. Daar gaat het in ons werk om, de hele piepkleine details, zoals dat de veter van die linkerschoen los was, of een vlieg op de rand van je glas zat bij de lunch, of dat de man met wie je praatte een stukje van zijn voortand miste. Probeer het in je geheugen terug te brengen en je elk dingetje te herinneren.'
'Ik zal mijn best doen,' zei ik.
Hij gaf me een adres, waar ik het verhaal naar toe kon sturen, en toen lieten we het verder rusten en wijdden ons in alle rust aan het eten. Meneer Forester was niet zo'n prater. Hij kon in ieder geval lang niet zo goed spreken als hij schreef, en al was hij vriendelijk en aardig, geen vonkje sprong van zijn hoofd af en ik had net zo goed met een intelligente makelaar of advocaat kunnen zitten praten.
Die avond ging ik in het kleine huisje even buiten Washington, waar ik in mijn eentje woonde, aan tafel zitten en schreef mijn verhaal. Ik begon om een uur of zeven en was om twaalf uur klaar. Ik herinner me dat ik nog een glas Portugese cognac gedronken heb, om mezelf aan de gang te houden. Voor het eerst van mijn leven ging ik helemaal op in dat waar ik mee bezig was.

Ik zweefde in de tijd terug en stond weer opnieuw in de schroeiend hete woestijn van Libië op het witte zand en klom in de cockpit van de oude Gladiator, maakte mijn riemen vast, zette mijn helm goed, startte de motor en taxiede weg.
Het was verbazingwekkend hoe helder en duidelijk alles me voor de geest kwam. Het was niet moeilijk op papier te zetten. Het verhaal leek zichzelf te schrijven en de hand die het potlood vasthield ging razendsnel heen en weer over elke bladzijde. Voor de grap zette ik er, toen ik klaar was, een titel boven. Ik noemde het 'Een zacht eitje'.
De volgende dag tikte iemand van de ambassade het voor me uit en stuurde ik het op naar meneer Forester. Daarna dacht ik er niet meer aan.
Precies twee weken later kreeg ik antwoord van de grote man. Er stond:

Beste R.D., het was de bedoeling, dat je me de feiten zou geven, niet een kant en klaar verhaal. Ik ben sprakeloos. Je stuk is wonderbaarlijk. Het is werk van een begaafd schrijver. Ik heb er geen woord in veranderd. Ik heb het meteen onder je eigen naam naar mijn agent, Harold Matson, gestuurd met het verzoek het aan de Saturday Evening Post *aan te bieden met een persoonlijke aanbeveling van mij. Het zal je plezier doen te horen dat de* Post *het onmiddellijk heeft geaccepteerd en er duizend dollar voor heeft betaald. Meneer Matsons commissieloon is tien procent. Hierbij een cheque voor negenhonderd dollar. Die is helemaal voor jou. Zoals je zult lezen in de bijgesloten brief van meneer Matson vraagt de* Post *of je nog meer verhalen voor ze wilt schrijven. Ik hoop dat je het zult doen. Weet je dat je een schrijver bent? Met m'n beste wensen en felicitaties, C.S. Forester.*

'Een zacht eitje' staat aan het eind van dit boek.

Nee maar! dacht ik. Lieve help! Negenhonderd dollar! En ze gaan het publiceren! Maar zo verschrikkelijk makkelijk kan het toch niet zijn?

Dat was het wel, gek genoeg.

Het volgende verhaal dat ik schreef was puur fantasie. Ik verzon het zelf. Vraag me niet waarom. En dat verkocht meneer Matson ook. Daar in Washington schreef ik in de volgende twee jaren 's avonds elf verhalen. Ze werden allemaal verkocht aan Amerikaanse bladen en later zijn ze uitgegeven in een bundeltje met de titel *Over en sluiten.*

In het begin van die periode heb ik me ook aan een verhaal voor kinderen gewaagd. Het heette 'De Gremlins' en dit was, geloof ik, de eerste keer dat dit woord gebruikt werd. In mijn verhaal waren Gremlins kleine mannetjes, die op de jagers en bommenwerpers van de RAF leefden, en het waren de Gremlins en niet de vijand die verantwoordelijk waren voor alle kogelgaten en in brand gevlogen motoren en ongelukken tijdens de gevechten. De Gremlins hadden vrouwtjes, die Fifinellas heetten, en kinderen, die Widgets genoemd werden, en hoewel het verhaal zelf duidelijk van de hand van een onervaren schrijver was, werd het gekocht door Walt Disney, die besloot er een lange tekenfilm van te maken. Maar eerst werd het nog in *Cosmopolitan Magazine* opgenomen met gekleurde illustraties van Walt Disney (december 1942) en vandaar verspreidde het nieuws van de Gremlins zich snel door de hele RAF en de Amerikaanse luchtmacht en werden ze een soort legende.

Vanwege de Gremlins kreeg ik drie weken vrij van mijn werk op de ambassade in Washington en ging snel naar Hollywood. Daar logeerde ik op Walt Disney's kosten in een luxueus Beverly Hillshotel en kreeg ik een reusachtige glimmende auto om in rond te rijden. Elke dag werkte ik met de grote Walt Disney in zijn studio's in Burbank, om een ruwe schets voor het verhaal van de toekomstige film te maken. Ik had een fantastische tijd. Ik was nog steeds pas zesentwintig. Ik woonde vergaderingen bij in Walt Disney's enorme kantoor, waar ieder woord dat gesproken werd en iedere suggestie die gedaan werd, door een stenograaf werd opgenomen en naderhand uitgetikt. Ik dwaalde de kamers door waar de begaafde, luidruchtige tekenaars werkten, de mannen die al *Sneeuwwitje, Dumbo, Bambi* en andere geweldige films hadden gemaakt, en in die dagen kon het Walt Disney niet schelen wanneer ze in de studio kwamen en hoe ze zich gedroegen, zolang deze zonderlinge artiesten hun werk maar deden.

Toen mijn tijd om was ging ik naar Washington terug en liet het verder aan hen over.

Mijn verhaal over de Gremlins werd ook als kinderboek uitgegeven in New York en Londen. Het stond vol kleurenillustraties van Walt Disney en natuurlijk heette het *De Gremlins*. Exemplaren van dat boek zijn nu heel zeldzaam en er is moeilijk aan te komen. Ik heb er zelf maar een. De film is helaas nooit afgemaakt. Ik heb zelf het gevoel, dat dit speciale verzinsel Walt Disney eigenlijk nooit zo lekker heeft gezeten. Daar in Hollywood zat hij ook wel erg ver weg van de grote luchtoorlog die zich in Europa afspeelde. Bovendien ging het verhaal over de Engelse luchtmacht, de RAF, en niet over zijn eigen landgenoten, en dat zal ook wel bijgedragen hebben aan zijn gevoel van verbijstering, denk ik. Zo verloor hij

ten slotte alle interesse en zag van de hele zaak af.
Mijn kleine Gremlin-boekje had nog een heel buitengewoon gevolg in die oorlogsdagen, die ik in Washington doorbracht. Eleanor Roosevelt las het haar kleinkinderen voor in het Witte Huis en was er kennelijk zeer mee ingenomen. Ik werd uitgenodigd om met haar en de president te dineren. Ik ging er trillend van opwinding heen. We hadden veel plezier en ik werd vaker gevraagd. Toen begon mevrouw Roosevelt me voor weekends naar Hyde Park, het landhuis van de president, uit te nodigen. Daar bracht ik, of je het gelooft of niet, veel tijd alleen met Franklin Roosevelt door in zijn vrije uren. Ik zat bij hem wanneer hij martini's klaarmaakte voor de lunch op zondag en dan zei hij dingen als 'Ik heb net een interessant telegram van Churchill gehad'. Dan vertelde hij me wat er in stond, misschien iets over nieuwe plannen voor het bombarderen van Duitsland of de bestrijding van U-boten, en dan deed ik mijn best om kalm en nonchalant te doen, al zat ik er eigenlijk met knikkende knieën bij, wanneer ik me realiseerde dat de machtigste man ter wereld mij zomaar deze belangrijke geheimen vertelde. Soms nam hij me mee voor een rit over zijn landgoed in zijn auto – ik geloof, dat het een oude Ford was, die speciaal was aangepast aan zijn verlamde benen. Er zaten geen pedalen in. Hij kon alles met zijn handen doen. Zijn lijfwachten tilden hem dan uit zijn rolstoel en zetten hem achter het stuur. Dan wuifde hij ze weg en gingen we met geweldige snelheden langs de smalle weggetjes.
Op een zondag tijdens de lunch in Hyde Park vertelde Franklin Roosevelt een verhaal dat de verzamelde gasten diep schokte. We zaten met z'n veertienen aan weerszijden van de lange tafel en onder ons waren prinses Martha van Noorwegen en verscheidene leden van de regering. We aten een nogal smakeloos soort witte vis in een dikke, grijze saus. Plotseling wees de president met zijn vinger op mij en zei: 'We hebben vanavond een Engelsman bij ons. Laat ik u vertellen wat er met een andere Engelsman gebeurde, een vertegenwoordiger van de koning, die in het jaar 1827 in Washington was.' Hij noemde mij de naam van de man, maar die ben ik vergeten. Toen ging hij verder: 'Die man is hier toen gestorven en de Engelsen

stonden er om de een of andere reden op dat zijn lijk naar Engeland gestuurd werd om begraven te worden. Nu was de enige manier waarop dat in die tijd kon, het lijk in de alcohol te leggen. Dus werd het in een vat met rum gedaan. Het vat werd vastgebonden aan de mast van een zeilschip en het schip zeilde naar huis. Na zo'n vier weken op zee rook de kapitein een verschrikkelijke stank, die uit het vat kwam. Ten slotte werd de stank zo ondraaglijk, dat ze het vat los moesten snijden en overboord zetten. Maar weten jullie *waarom* het zo stonk?' vroeg de president met zijn beroemde brede grijns aan zijn gasten. 'Ik zal jullie vertellen waarom. Een paar leden van de bemanning hadden een gat geboord in de bodem van het vat en er een kurk in gestopt. Elke avond hadden ze zich te goed gedaan aan de rum. En toen alles op was, ja toen begonnen de moeilijkheden.' Franklin Roosevelt brulde van het lachen. Verschillende dames aan tafel trokken wit weg en ik zag hoe ze hun borden met witte gekookte vis zachtjes van zich af duwden.

Alle verhalen die ik in die begintijd schreef, waren fantasie, behalve dan de eerste, die ik voor C.S. Forester schreef. Schrijven over dingen die echt gebeurd zijn interesseert me niet. Het minst leuke vind ik schrijven over dingen die ik zelf heb meegemaakt. En dat verklaart waarom dit verhaal zo weinig gedetailleerd is. Ik had heel gemakkelijk kunnen beschrijven hoe het is om vijfduizend meter hoog boven het Parthenon in Athene in gevecht te zijn met een Duitse jager, of de spanning van het achtervolgen van een Junker tussen de bergtoppen van Noord-Griekenland, maar daar heb ik geen zin in. Bij mij bestaat het plezier in het schrijven nu juist uit het verzinnen van verhalen.

Behalve het verhaal voor Forester heb ik, denk ik, mijn hele leven maar één ander waargebeurd verhaal geschreven en dat alleen omdat het onderwerp zo boeiend was, dat ik het niet kon weerstaan. Het verhaal heet 'De schat van Mildenhall' en staat in dit boek.

Dat was het dan. Zo ben ik schrijver geworden. Als ik niet het geluk had gehad meneer Forester te ontmoeten, was het waarschijnlijk nooit gebeurd.

Nu, meer dan dertig jaar later, ben ik nog steeds aan het ploeteren.

Voor mij is het belangrijkste en het moeilijkste van het schrijven het vinden van de plot, de intrige. Aan goede, originele intriges is moeilijk te komen. Je weet nooit wanneer een prachtidee plotseling door je hoofd zal flitsen, maar wanneer het komt grijp je het met beide handen stevig vast en laat het je niet meer los. De truc is het meteen op te schrijven, anders vergeet je het. Een goede intrige is net als een droom. Als je je droom niet meteen opschrijft wanneer je wakker wordt, heb je de kans dat je 'm vergeet en je 'm voorgoed kwijt bent.

Wanneer me dus een idee voor een verhaal te binnen schiet, grijp ik haastig een potlood, een pen, een lippenstift, of wat ook waarmee je schrijven kan, en krabbel ik een paar woorden neer, die me later het idee weer te binnen brengen.

Vaak is een woord genoeg. Ik reed een keer alleen op een landweg en ik kreeg een idee voor een verhaal over iemand, die in een lift tussen twee verdiepingen blijft steken in een leeg huis. In de hele auto was niets om mee te schrijven. Dus stond ik stil en stapte uit. De achterkant van de auto zat onder het stof. Met een vinger schreef ik een enkel woord in het stof: LIFT. Dat was genoeg. Zodra ik thuiskwam ging ik regelrecht naar mijn werkkamer en schreef het idee op in een oud schoolschrift met een rood kaft, waar alleen maar 'Korte verhalen' op staat.

Ik heb dit schrift al vanaf het ogenblik dat ik begon te proberen serieus te schrijven. Er zijn achtennegentig pagina's in het schrift. Ik heb ze geteld. En bijna al die pagina's staan aan beide kanten vol met van die zogenaamde verhaalideeën. Aan de meeste heb je niks. Maar zowat ieder verhaal en elk kinderboek dat ik ooit geschreven heb, begon als een notitie van een paar zinnetjes in dit kleine gehavende schriftje. Bij voorbeeld:

Misschien een chocoladefabriek waar fantastische, wonderbaarlijke dingen gemaakt worden – met een zot mannetje als directeur aan het hoofd?
Dit werd 'Sjakie en de chocoladefabriek.'

Een verhaal over meneer Vos, die een heel netwerk van onderaardse gangen

heeft naar alle winkels van het dorp. 's Nachts gaat hij door de vloer naar boven en bedient zichzelf.
'De fantastische Mijnheer Vos'

Jamaica en het jongetje, dat een reuzenschildpad gevangen ziet worden door inheemse vissers. Jongetje pleit bij zijn vader voor het kopen en loslaten van de schildpad. Wordt hysterisch. Vader koopt 'm. En dan? Misschien gaat 't jongetje mee met de schildpad of zoekt 'm later op.
'De jongen die met dieren praatte'

Een man leert de kunst door speelkaarten heen te kijken. Hij wint miljoenen in casino's.
Dit werd 'Het wonderlijk verhaal van Hendrik Meier'.

Soms blijven deze kleine krabbeltjes vijf of zelfs tien jaar lang ongebruikt in het schrift staan. Maar de veelbelovende worden uiteindelijk altijd gebruikt. En al blijkt er misschien niets anders uit, ze laten voor mijn gevoel wel zien van wat voor dunne draden een kinderboek of een verhaal uiteindelijk geweven moet worden. Het verhaal bouwt zichzelf en breidt zich uit onder het schrijven. Het beste komt wanneer je aan je schrijftafel zit. Maar je kunt niet ineens beginnen met het schrijven van een verhaal als je niet het begin van een intrige hebt. Zonder mijn schriftje zou ik echt hulpeloos zijn.

Een zacht eitje

(Mijn eerste verhaal, 1942)

Ik herinner me er niet veel van, tenminste niet van daarvoor, niet tot het gebeurde.
Er was de tussenlanding op Fouka, waar de Blenheim-jongens heel geschikt waren en ons thee gaven, terwijl onze tanks bijgevuld werden. Ik herinner me hoe stil de Blenheim-jongens waren, hoe ze de mess-tent binnenkwamen om thee te halen en gingen zitten drinken zonder iets te zeggen; hoe ze opstonden en weggingen wanneer ze het op hadden, nog steeds zonder een woord. En ik wist dat ze zich allemaal stuk voor stuk in bedwang hielden omdat het niet bepaald goed ging op dat moment. Z· moesten er te vaak op uit en er kwamen maar geen plaatsvervangers.
We bedankten ze voor de thee en gingen naar buiten om te zien of ze klaar waren met het bijtanken van onze Gladiators. Ik herinner me dat er een flinke wind stond, die de windzak recht deed uitstaan, dat het zand om onze benen waaide en tegen de tenten ritselde, en dat de tenten in de wind klapperden als canvasmannen die in hun handen klapten.
'Bommen-jongens ongelukkig,' zei Peter.
'Niet ongelukkig,' antwoordde ik.
'Nou, ze hebben de pest in.'
'Nee. Ze hebben genoeg gehad, dat is alles. Maar ze zullen het wel volhouden. Je kan zien hoe ze proberen het vol te houden.'
Onze beide oude Gladiators stonden naast elkaar in het zand en de mannen in hun kakihemden en -schorts schenen nog steeds bezig te zijn met tanken. Ik droeg een dun wit katoenen vliegpak en Peter een blauw. Warmere kleren waren niet nodig bij het vliegen.
Peter vroeg: 'Hoe ver is het?'
'Eenendertig kilometer na Charing Cross,' antwoordde ik, 'aan de rechterkant van de weg.' Charing Cross was de plaats waar de weg door de woestijn afsloeg naar Mersah Matruh in het noorden. Het

Italiaanse leger lag bij Mersah en het ging ze voor de wind. Dat was zo ongeveer de enige keer dat het de Italianen voor de wind ging, voor zover ik weet. Hun moreel stijgt en daalt als een heel gevoelige hoogtemeter, en op dat moment stond die zeker op twaalfduizend meter, omdat de As-landen overal de overhand hadden. We bleven rondhangen tot ze klaar waren met tanken.
Peter zei: 'Het is een zacht eitje.'
'Ja, het lijkt een makkie.'
We gingen uiteen en ik klom in mijn cockpit. Ik ben me altijd het gezicht blijven herinneren van de man die me met mijn riemen hielp. Hij was vrij oud, veertig of zo, en kaal op een keurig plekje goud haar achter op zijn hoofd na.
Zijn gezicht was helemaal gerimpeld, zijn ogen waren als die van mijn grootmoeder en hij keek alsof hij zijn levenlang riemen had helpen vastmaken van piloten die nooit meer terugkwamen. Hij stond op de vleugel aan mijn riemen te trekken en zei: 'Voorzichtig zijn. Je hebt er niets aan niet voorzichtig te zijn.'
' 'n Zacht eitje,' zei ik.
'Ja, ja!'
'Heus. Het is een makkie. Een zacht eitje.'
Van daarna herinner ik me niet zoveel; ik herinner me alleen wat later gebeurde. Ik neem aan dat we opstegen en naar het westen vlogen in de richting van Mersah. En ik neem aan dat we op zo'n tweehonderdvijftig meter hoogte vlogen. Ik neem aan dat we de zee zagen aan stuurboord en ik neem aan – nee, ik weet zeker – dat die blauw was en prachtig, vooral daar waar de golven het strand op rolden en een lange dikke witte lijn vormden naar het oosten en het westen, zover het oog reikte. Ik neem aan dat we over Charing Cross vlogen en de eenendertig kilometer daar voorbij naar de plaats waar ze zeiden dat het moest zijn, maar ik weet het niet. Ik weet alleen dat we in de penarie zaten, en niet zo'n beetje ook. En ik weet dat het, toen we omgedraaid waren en terugvlogen, nog veel erger werd. Het ergste was nog dat ik te laag zat om te kunnen springen, en op dat moment komt mijn geheugen weer terug. Ik herinner me hoe de neus van mijn toestel naar beneden

dook en ik herinner me hoe ik langs de neus van de machine naar de grond keek en een eenzaam bosje doornstruiken zag. Ik herinner me dat ik wat rotsblokken naast het bosje in het zand zag liggen; en de struiken en het zand en de rotsblokken sprongen op van de grond en kwamen op me af. Dat herinner ik me heel duidelijk.
Dan een klein hiaat in mijn herinnering. Het kan een seconde geweest zijn, of dertig seconden, dat weet ik niet. Ik heb zo het idee dat het maar heel even geweest is, een seconde misschien, en daarna hoorde ik een *krumf*geluid rechts, toen de tank aan stuurboord in brand vloog, en daarna nog een *krumf,* toen de bakboordtank hetzelfde deed. Voor mij had dat geen enkele betekenis. Ik zat een tijdje rustig op mijn gemak, maar wel een beetje suffig.
Ik kon met mijn ogen niets zien, maar ook dat betekende niets. Er was niets om je zorgen te maken. Helemaal niets. Niet tot ik de hitte aan mijn benen voelde. Eerst was het alleen maar warmte, en dat was ook wel prettig, maar toen plotseling werd het hitte, een verschrikkelijke verschroeiende hitte langs beide kanten van mijn benen.
Ik wist dat die hitte onplezierig was, maar meer ook niet. Ik had er een hekel aan, dus drukte ik mijn benen onder mijn stoel en wachtte. Ik denk dat er iets mis was met de telegraafverbinding tussen het lichaam en de hersenen. Die scheen niet zo best te werken. Op de een of andere manier was er vertraging ontstaan in het overbrengen van de boodschap over de toestand beneden en het vragen om instructies. Maar ik geloof dat er uiteindelijk toch een bericht doorkwam dat luidde: 'Hier beneden heerst een flinke hitte. Wat moeten we doen? (Getekend) Linkerbeen en Rechterbeen.' Het antwoord liet op zich wachten. De hersenen waren de zaak aan het overwegen.
Toen heel langzaam, woord na woord, kwam het antwoord over de lijn 'Het-vliegtuig-staat-in-brand. Ga-er-uit-herhaal-eruit-eruit.' Het bevel werd door het hele systeem uitgezonden, naar alle spieren in de benen, armen en lichaam en de spieren gingen aan het werk. Ze deden hun best, ze trokken een beetje en duwden een beetje en ze spanden zich in, maar het hielp niets. Weer een telegram naar

boven: 'Komen er niet uit. Iets houdt ons tegen.' Het antwoord hierop bleef nog langer uit, dus zat ik daar op te wachten en intussen werd de hitte steeds groter. Er was iets wat me tegenhield en de hersenen moesten uitzoeken wat dat was. Waren het reuzenhanden die op mijn schouders drukten, of zware stenen of huizen of stoomwalsen of boekenkasten of zwaartekracht of touwen? Wacht eens touwen-touwen.
De boodschap begon door te komen. Het kwam heel langzaam. 'Je-riemen. Maak-je-riemen-los.' Mijn armen vingen de boodschap op en gingen aan het werk. Ze trokken aan de riemen, maar die wilden maar niet losgaan. Ze trokken nog eens en nog eens, wel wat zwakjes maar zo hard als ze konden en er gebeurde niets. Terug ging de boodschap: 'Hoe maken we die riemen los?'
Dit keer denk ik dat ik wel drie of vier minuten op het antwoord moest wachten. Het had geen zin om je te haasten of ongeduldig te worden. Dat was het enige waar ik zeker van was. Maar wat duurde dat lang. Ik zei hardop: 'Verrek, straks verbrand ik nog. Ik...' Maar ik werd onderbroken. Het antwoord kwam eraan – nee toch niet – ja, toch – langzaam kwam het door. 'Trek-de-pin-eruit-stomme-idioot-en-vlug-een-beetje.'
De pin ging eruit en de riemen waren los. En nu eruit. Eruit, eruit. Maar ik kon het niet. Ik kon mezelf gewoonweg niet uit de cockpit hijsen. Armen en benen deden hun best maar het ging niet. Een laatste wanhopige boodschap flitste naar boven en dit keer stond er 'Dringend' op.
'Iets anders houdt ons nog tegen,' luidde die, 'iets anders, iets anders, iets zwaars.'
Nog steeds verzetten armen en benen zich niet. Ze schenen instinctief te weten dat het geen zin had hun krachten te verspillen. Ze bleven rustig en wachtten op het antwoord en o, wat duurde dat lang. Twintig, dertig, veertig hete seconden. Nog steeds niet witheet, geen gesis of de stank van brandend vlees, maar dat kon nu elk moment komen, want de oude Gladiators zijn niet van geperst staal gemaakt, zoals een Hurricane of een Spitfire. Ze hebben vleugels van strakgespannen canvas, overdekt met een laag uitstekend

brandbare vernis en daaronder zitten honderden dunne latjes, van het soort waar je de kachel mee aanmaakt, alleen zijn ze nog droger en dunner. Als een slimme man zou zeggen: 'Ik ga een groot ding maken dat beter en vlugger brandt dan wat ook ter wereld,' en als hij zich dan met grote ijver op zijn taak toelegde, dan zou hij waarschijnlijk iets maken dat heel veel van een Gladiator weg had. Ik zat nog steeds te wachten.
Dan plotseling het antwoord, heerlijk kort, maar tegelijkertijd alles verklarend. 'Je-parachute-gesp-losdraaien.'
Ik draaide de gesp los, ontdeed mij van de banden, hees mij met enige moeite omhoog en duikelde over de rand van de cockpit. Er scheen iets te branden, dus rolde ik een beetje heen en weer in het zand en kroop daarna op handen en knieën weg van het vuur, en bleef liggen.
Ik hoorde wat ammunitie van mijn machinegeweer afgaan in de hitte en ik hoorde een paar van de kogels vlak naast me in het zand neerkomen. Niet dat ik me daar zorgen over maakte. Ik hoorde het alleen.
Nu begonnen allerlei dingen pijn te doen.
Mijn gezicht deed het meeste pijn. Er was iets mis met mijn gezicht. Er was iets mee gebeurd. Langzaam voelde ik met mijn hand. Het kleefde. Mijn neus scheen er niet meer te zitten. Ik probeerde aan mijn tanden te voelen, maar ik herinner me niet of ik nog tot de een of andere conclusie ben gekomen over mijn tanden. Ik denk dat ik wegsufte.
Plotseling was Peter er. Ik hoorde zijn stem en ik hoorde hem ronddansen en schreeuwen als een gek en mijn hand schudden en zeggen: 'Jezus, ik dacht dat je er nog inzat. Ik ben een kilometer verderop neergekomen en ik heb me 't lazerus gerend. Ben je in orde?'
Ik zei: 'Peter, wat is er met mijn neus gebeurd?'
Ik hoorde hem een lucifer aanstrijken in het donker. De nacht valt snel in de woestijn. Het bleef stil.
'Eigenlijk schijnt er niet zoveel van over te zijn,' zei hij. 'Doet het pijn?'
'Doe niet zo stom, natuurlijk doet het pijn.'

Hij zei dat hij naar zijn toestel terugging om wat morfine te halen uit zijn EHBO-doos, maar hij kwam al weer gauw terug en zei dat hij in het donker zijn toestel niet kon vinden.
'Peter,' zei ik, 'ik kan niks zien.'
'Het is nacht,' antwoordde hij. 'Ik kan ook niks zien.'
Het was nu koud geworden. Het was ijzig koud en Peter ging tegen me aan liggen, zodat we het allebei warmer zouden hebben. Zo nu en dan zei hij: 'Ik heb nog nooit eerder een man zonder neus gezien.' Ik bleef maar steeds bloed uitspugen en elke keer dat ik dat deed, streek Peter een lucifer aan. Een keer gaf hij me een sigaret, maar die werd nat en smaakte me trouwens toch niet.
Ik weet niet hoe lang we daar bleven en ik herinner me verder nog maar heel weinig. Ik herinner me dat ik steeds maar tegen Peter zei, dat er een doosje hoesttabletten in mijn zak zat en dat hij er eentje moest nemen, omdat hij anders ook mijn keelpijn zou krijgen. Ik herinner me, dat ik hem vroeg waar we waren en dat hij zei: 'We zitten tussen de legers in.' En dan herinner ik me stemmen, van een Engelse patrouille, die vroegen of we Italianen waren. Peter zei iets tegen me; ik weet niet meer wat.
Later herinner ik me hete, dikke soep en dat ik van een lepel al misselijk werd. En de hele tijd het prettige gevoel dat Peter er was, fantastisch was, en fantastische dingen deed en nooit wegging. Dat is alles wat ik me kan herinneren.

De mannen stonden naast het vliegtuig druk te schilderen en over de hitte te klagen.
'Plaatjes schilderen op het vliegtuig,' zei ik.
'Ja,' zei Peter. 'Een prima idee. Subtiel, dat is het.'
'Waarom?' vroeg ik. 'Vertel me dat es.'
'Het zijn moppen,' zei hij. 'De Duitse piloten zullen allemaal in de lach schieten wanneer ze ze zien; ze zullen allemaal in de lach schieten wanneer ze ze zien; ze zullen zo hard schudden van het lachen, dat ze niet meer raak kunnen schieten.'
'O, larie, larie, larie.'
'Helemaal niet, het is een goed idee. Prima. Kom maar es kijken.'

We renden naar de rij vliegtuigen. 'Huppele, huppele, huppelakee,' zei Peter. 'Huppel dan mee, huppele, huppele, huppelakee.'
'Huppele, huppele, huppelakee,' zei ik en zo huppelden en dansten we er heen.
De man die het eerste vliegtuig beschilderde had een strohoed op zijn hoofd en een droevig gezicht. Hij schilderde een tekening uit een weekblad na, en toen Peter het zag zei hij: 'Jeminee moet je die tekening zien.' En hij begon te lachen. Zijn lach begon met gegrinnik en groeide snel uit tot geschater en hij sloeg met beide handen tegelijk op zijn dijen en lachte maar door, dubbelgevouwen met zijn mond wijdopen en zijn ogen dicht. Zijn hoge hoed viel van zijn hoofd op het zand.
'Het is helemaal niet grappig,' zei ik.
'Niet grappig!' riep hij. 'Wat zeg je me nou, niet grappig? Kijk dan naar mij, kijk dan hoe ik moet lachen. Als ik zo moet lachen, kan ik toch zeker niet raak schieten. Ik zou nog geen hooiwagen of huis kunnen raken.' En hij sprong rond over het zand, gierend en schuddend van het lachen. Toen greep hij me bij mijn arm en dansten we naar het volgende vliegtuig. 'Huppele, huppele, huppelakee.'
Daar stond een mannetje met een verschrompeld gezicht een lang verhaal op de romp te schrijven met rood krijt. Zijn strohoed wiebelde achter op zijn hoofd en zijn gezicht glom van het zweet.
'Goeiemorgen,' zei hij. 'Goeiemorgen, goeiemorgen,' en hij nam zijn hoed af met een elegante zwaai.
Peter zei: 'Hou je mond,' boog voorover en las wat het mannetje geschreven had. De hele tijd sputterde en grinnikte hij van plezier en onder het lezen begon hij weer opnieuw te schateren. Hij zwaaide heen en weer, danste rond over het zand, kletste op zijn dijen en sloeg dubbel van het lachen. 'O jee, wat een mop, wat een mop. Kijk toch eens naar me. Kijk eens hoe ik moet lachen,' en hij hupte op zijn tenen, schudde met zijn hoofd en giechelde als een gek. Toen plotseling snapte ik de mop en begon mee te lachen. Ik lachte zo hard dat mijn maag pijn deed en ik op de grond viel en over het zand rolde en schaterde en schaterde omdat het zo grappig was,

dat ik niet anders kon.
'Peter, je bent fantastisch!' schreeuwde ik. 'Maar kunnen al die Duitse piloten wel Engels lezen?'
'O, verdorie,' zei hij. 'O, verdorie. Stop!' schreeuwde hij. 'Ophouden!' En alle schilders hielden op met schilderen, draaiden zich langzaam om en keken naar Peter. Ze deden een paar huppelpasjes op hun tenen en begonnen in koor te zingen: 'Op de vleugels schilderen wij grappen, moppen, zotternij.'
'Stil jullie,' zei Peter. 'We zitten in de penarie. Kalm blijven. Waar is mijn hoge hoed?'
'Wat?' zei ik.
'Jij kunt Duits spreken,' zei hij. 'Jij moet het voor ons vertalen. Hij zal het voor jullie vertalen,' schreeuwde hij de schilders toe. 'Hij vertaalt het wel.'
Toen zag ik zijn zwarte hoge hoed in het zand liggen. Ik keek de andere kant op, daarna keek ik om en zag ik 'm weer. Het was een hoge zijden en hij lag op zijn kant in het zand. 'Je bent gek,' schreeuwde ik. 'Je bent hartstikke gek. Je weet niet wat je doet. Je zult onze dood zijn. Je bent helemaal getikt, weet je dat? Grote hemel, je bent krankzinnig!'
'Lieve help, wat maak je een lawaai. Je moet niet zo schreeuwen; dat is niet goed voor je.' Het was een vrouwenstem. 'Je bent helemaal verhit,' zei ze en ik voelde dat iemand mijn voorhoofd afveegde met een zakdoek. 'Je moet je niet zo opwinden.'
Toen was ze weg en ik zag nog alleen maar de lucht, die bleekblauw was. Er waren geen wolken en overal om me heen waren Duitse jagers. Ze waren boven me en onder me en aan alle kanten en ik kon geen kant uit; er was niets wat ik kon doen.
Om de beurt kwamen ze me aanvallen en ze vlogen zorgeloos rond, duikend en glijdend en dansend in de lucht. Maar ik was niet bang vanwege de moppen op mijn vleugels. Ik was vol zelfvertrouwen en ik dacht: Ik ga in mijn eentje tegen honderd van hen en ik schiet ze allemaal neer. Ik schiet ze neer, terwijl ze lachen, dat zal ik doen.
Toen kwamen ze dichterbij. De hele lucht zat er vol mee. Het waren er zoveel, dat ik niet wist welke ik in de gaten moest houden en

welke ik moest aanvallen. Het waren er zoveel dat ze een zwart gordijn over de lucht vormden en alleen zo hier en daar zag ik er nog een beetje blauw doorheen. Maar er was nog genoeg blauw over. En daar ging het maar om. Zolang er nog maar net genoeg was, was alles in orde.

Ze kwamen nog dichterbij vliegen. Steeds dichter en dichterbij, vlak voor mijn gezicht, zodat ik nog alleen de zwarte hakenkruizen zag, die fel afgetekend stonden tegen de kleur van de Messerschmitts en tegen het blauw van de lucht; en toen ik mijn hoofd snel van de ene naar de andere kant zwaaide, zag ik nog meer vliegtuigen en hakenkruizen, en toen zag ik niets meer behalve de armen van de hakenkruizen en het blauw van de lucht. De armen hadden handen en ze grepen elkaar vast, vormden een kring en dansten om mijn Gladiator heen, terwijl de motoren van de Messerschmitts er bij zongen met hun zware stemmen. Ze deden 'Joepie, Joepie' en steeds kwam er een in het midden en viel aan, en daardoor wist ik dat het 'Joepie, Joepie' was. Ze doken en draaiden en dansten op hun tenen en wiegden van de ene kant naar de andere. 'Joepie, Joepie is gekomen, heeft mijn meisje weggehaald,' zongen de motoren.

Maar ik was nog steeds vol zelfvertrouwen. Ik kon beter dansen dan zij en ik koos een mooier meisje. Ze was het allermooiste meisje van de wereld. Ik keek naar beneden en zag de welving van haar hals en de zachte, bleke schouders en ik zag haar slanke armen zich verlangend uitstrekken naar mij.

Plotseling zag ik kogelgaten in mijn stuurboordvleugel en ik werd kwaad en bang tegelijkertijd, maar voornamelijk kwaad. Toen kreeg ik mijn zelfvertrouwen weer terug en ik zei: 'De Duitser die dat heeft gedaan, had geen gevoel voor humor. Er is altijd wel een man bij die geen gevoel voor humor heeft, maar er is niets om je zorgen over te maken, helemaal niets om je zorgen over te maken.'

Toen zag ik nog meer kogelgaten en werd ik bang. Ik schoof de kap van de cockpit open, stond op en schreeuwde: 'Idioten, kijk dan naar de moppen. Kijk naar die op mijn staart, kijk naar die

op mijn romp. Kijk dan toch naar de grap op mijn romp.'
Maar ze bleven komen. Steeds weer kwam er een in het midden van de kring op me schieten. En de motoren van de Messerschmitts zongen luidkeels. 'Maar ik zal er niet om treuren, gauw een ander weer gehaald,' zongen de motoren en de zwarte hakenkruizen dansten en zwaaiden op de maat van de muziek. Er zaten nog meer gaten in mijn vleugels, mijn motorkap en in de cockpit.
Toen plotseling zaten er ook een paar in mijn lichaam.
Maar pijn deed het niet, ook niet toen ik als een tol omlaag begon te wentelen en de vleugels van mijn vliegtuig flap, flap, flap, flap, steeds sneller en sneller rondflapten, en de blauwe lucht en de zwarte zee rond en rondjoegen tot er geen lucht en geen zee meer was, maar alleen nog het flitsen van de zon, terwijl ik rondtolde.
Maar de zwarte hakenkruizen volgden mij naar beneden, nog steeds dansten ze hand in hand en nog steeds hoorde ik het zingen van hun motoren.
'Gauw een ander weer gehaald. Tra-la-la-la-la, tra-la-la-la-la, tra-la-la-la, tra-la-la-la-la...' zongen de motoren.
Nog steeds flap, flap, flap, flap, flapten mijn vleugels en was er geen lucht en geen zee om me heen, alleen maar zon.
Toen was er nog alleen maar zee. Ik zag 'm onder me en ik zag de witte paarden en ik zei tegen mezelf: 'Dat zijn witte paarden, die over een wilde zee rijden.' Toen wist ik dat mijn hersens goed werkten vanwege de witte paarden en vanwege de zee.
Ik wist, dat ik niet zoveel tijd had, omdat de zee en de witte paarden steeds dichterbij kwamen. De witte paarden werden steeds groter en de zee zag er uit als een zee en als water en niet meer als een gladde spiegel. Toen was er nog maar één enkel wit paard, dat wild vooruit stormde met zijn bit tussen de tanden en schuim om zijn bek, dat de druppels deed rondstuiven met zijn hoeven en zijn hals strekte bij het rennen. Wild galoppeerde hij over de zee, op hol geslagen, zonder ruiter en ik wist dat we neer zouden storten.
Daarna was het warmer en waren er geen zwarte hakenkruizen en was er geen lucht. Maar het was alleen maar warm omdat het niet heet en niet koud was. Ik zat in een grote rode leunstoel van

fluweel en het was avond. Er stond een flinke wind van achteren.
'Waar ben ik?' vroeg ik.
'Je bent vermist. Je bent vermist, waarschijnlijk omgekomen.'
'Dan moet ik mijn moeder waarschuwen.'
'Gaat niet. Die telefoon kun je niet gebruiken.'
'Waarom niet?'
'Die gaat alleen naar God.'
'Wat zei je ook weer dat ik was?'
'Vermist, waarschijnlijk omgekomen.'
'Dat is niet waar. Dat is een leugen, dat is een smerige leugen, want ik ben hier en niet vermist. Je probeert me alleen maar bang te maken, en dat lukt je toch niet. Dat lukt je niet, zeg ik je, omdat ik weet dat het een leugen is en ik naar mijn squadron terugga. Je kunt me niet tegenhouden, want ik ga toch. Ik ga toch. Ik ga toch, hoor je, ik ga toch.'
Ik stond op uit de rode stoel en begon te rennen.
'Geef me die röntgenfoto's nog eens aan, zuster.'
'Alstublieft, dokter.' Dat was weer die vrouwenstem en nu kwam die dichterbij.
'Je hebt vannacht lawaai gemaakt, is het niet? Ik zal je kussen eens goed leggen. Je gooit 'm er bijna af.' De stem kwam van vlakbij en was heel zacht en vriendelijk.
'Ben ik vermist?'
'Nee natuurlijk niet, alles is prima.'
'Ze zeiden dat ik vermist was.'
'Wat een onzin; alles is prima.'
O, allemaal onzin, onzin, onzin, maar het was zo'n prachtige dag en ik wilde niet rennen maar ik kon niet ophouden. Ik bleef maar doorrennen over het gras en ik kon niet stilstaan, omdat mijn benen mij droegen en ik geen controle over ze had. Het was alsof ze niet bij me hoorden, hoewel ik zag dat ze van mij waren wanneer ik omlaag keek, en dat de schoenen aan de voeten van mij waren en dat de benen aan mijn lichaam vastzaten. Maar ze deden niet wat ik wilde; ze gingen gewoon door met rennen over de weide en ik moest wel met ze mee. Ik rende en rende en rende, en hoewel

de weide hier en daar hobbelig was, struikelde ik geen enkele keer. Ik rende langs bomen en heggen en in een wei stonden een paar schapen, die ophielden met grazen en wegholden toen ik langs rende. Een keer zag ik mijn moeder voorovergebogen, met een bleekgrijze jurk aan paddestoelen plukken en toen ik langs rende, keek ze op en zei: 'Mijn mand is bijna vol, zullen we maar naar huis gaan?' Maar mijn benen wilden niet stilstaan en ik moest wel doorgaan. Toen zag ik een rots en ik zag hoe donker het was daarachter. Daar was die grote rots en daarna was er niets dan duisternis, hoewel de zon scheen op de weide waar ik doorheen rende. Het licht van de zon hield ineens op bij de rand van de rots en daarachter was alleen maar duisternis. 'Dat moet zijn waar de nacht begint,' dacht ik en weer probeerde ik stil te staan, maar het ging niet. Mijn benen begonnen nog sneller naar de rotsrand te rennen en ze begonnen nog grotere, langere passen te nemen, en ik stak mijn hand omlaag en probeerde ze te grijpen, maar dat lukte niet. Toen probeerde ik me te laten vallen. Maar mijn benen waren zo lenig als wat en elke keer dat ik me liet vallen, kwam ik weer op mijn tenen neer en rende verder.

Nu waren de rotsrand en de duisternis veel dichterbij en ik zag wel dat ik, als ik mezelf niet snel tegenhield, over de rand zou gaan. Nog eens probeerde ik mezelf op de grond te gooien en weer kwam ik op mijn benen terecht en rende door.

Ik had een flinke vaart toen ik bij de rand kwam en ik ging rechtdoor erover heen en begon te vallen.

Eerst was het niet helemaal donker. Ik kon kleine boompjes tegen de rotswand aan zien groeien en ik greep er naar met mijn handen onder het vallen. Verschillende keren slaagde ik erin een tak te grijpen, maar die brak altijd meteen af omdat ik zo zwaar was en omdat ik zo snel viel. En een keer kreeg ik een dikke tak met twee handen te pakken en de boom boog voorover en een voor een hoorde ik de wortels knappen, tot hij helemaal los liet en ik weer door ging met vallen. Toen werd het donkerder, omdat de zon en het daglicht verweg in de weiden boven op de rots waren achtergebleven, en onder het vallen hield ik mijn ogen open en zag het duister van grijs-zwart in zwart veranderen, van zwart in pikzwart, van pikzwart in zuiver vloeibaar zwart dat ik met mijn handen aan kon raken maar niet kon zien. Maar ik viel door en het was zo zwart, dat er nergens iets was en het geen enkele zin had om iets te doen of ergens om te geven of over na te denken, vanwege het zwart en vanwege het vallen. Het had totaal geen zin.

'Je bent beter vanmorgen. Je bent een stuk beter.' Het was de vrouwenstem weer.

'Hallo.'

'Hallo, we dachten al dat je nooit meer bij bewustzijn zou komen.'

'Waar ben ik?'

'In Alexandrië, in het ziekenhuis.'

'Hoe lang ben ik hier al?'

'Vier dagen.'

'Hoe laat is het?'

'Zeven uur 's morgens.'

'Waarom zie ik niets?'

Ik hoorde haar een paar stappen dichterbij komen.

'O, we hebben alleen een verband om je ogen gedaan voor een poosje.'

'Voor hoe lang?'

'Voor een tijdje. Maak je geen zorgen, het gaat prima. Je hebt een hoop geluk gehad, weet je dat?'

Ik tastte naar mijn gezicht met mijn vingers, maar ik voelde het niet. Ik voelde alleen andere dingen.

'Wat is er met mijn gezicht?'

Ik hoorde haar bij mijn bed komen en voelde haar hand op mijn schouder.

'Je moet niet meer praten. Je mag nog niet praten. Dat is slecht voor je. Rustig blijven liggen en je geen zorgen maken. Het gaat uitstekend met je.'

Ik hoorde het geluid van haar voetstappen over de vloer en ik hoorde haar de deur open en weer dicht doen.

'Zuster,' zei ik. 'Zuster.'

Maar ze was weg.

HET WONDERLIJK VERHAAL VAN HENDRIK MEIER

Boeken van Roald Dahl:
De fantastische Meneer Vos
(Zilveren Griffel 1972)
Daantje, de wereldkampioen
(Zilveren Griffel 1977)
Sjakie en de chocoladefabriek
Sjakie en de grote glazen lift
De reuzenperzik
Boy
Solo

met tekeningen van Tom Eyzenbach:
De tovervinger
Het wonderlijk verhaal van Hendrik Meier
(Zilveren Griffel en Gouden Penseel 1979)

met tekeningen van Quentin Blake:
De reuzenkrokodil
De Griezels
(Zilveren Griffel 1982)
Joris en de geheimzinnige toverdrank
Roald Dahl's gruwelijke rijmen
De GVR
(Zilveren Griffel 1984)
De heksen
Rotbeesten
De Giraffe, de Peli en ik
Matilda